COERVER® KIDS TRAINING MENU

ジュニアサッカー
クーバー・コーチング
キッズのトレーニング
メニュー集

ボールマスタリー34
DVD付き

×

[著] **アルフレッド・ガルスティアン**
ALFRED GALUSTIAN

チャーリー・クック
CHARLIE COOKE

KANZEN

はじめに

ひとりにボールひとつで個人のスキルアップをはかる

小学生年代から幼児年代へ──。
最近では、サッカーをはじめる年齢がどんどん早まってきています。
もちろん、この年代の選手たちには、
技術を身につけるためのトレーニングが必要です。
ただし年齢が早いからといって、
教わる内容が良くなければ、子どもの技術は育ちません。

本書では、
うまいパスやフェイント、ファーストタッチをどうしても成功させたい……。
そんな子どもたちの自主練習にも、雨の日にも役立つ、
トレーニングメニューを集めました。

ボールひとつさえあれば、ひとりで練習しても確実にスキルアップします。
キッズ年代に最適な本書で、
サッカー選手に必要不可欠な基本となる技術を身につけましょう！

著者紹介

Photo by Eiki Mori

アルフレッド・ガルスティアン
Alfred Galustian

クーバー・コーチング 共同創設者
インターナショナルディレクター

イングランドのウィンブルドンFCにてプロ選手としてのキャリアをスタート。ヨーロッパ、アジア、アメリカ、アフリカといった国々でクーバー・コーチングの普及活動を行う責任者。またイングランドのプレミアリーグをはじめ、フランス、イギリス、日本、オーストラリアや、バイエルン・ミュンヘン（ドイツ）、レアル・マドリード（スペイン）、オリンピック・マルセイユ（フランス）、ニューキャッスル・ユナイテッド、アーセナル（イングランド）など各国協会やプロクラブなどのテクニカルアドバイザーを務めている。

チャーリー・クック
Charlie Cooke

クーバー・コーチング 共同創設者
北・中央・南アメリカディレクター

現役時代はスコットランドの一部リーグ、アバディーンFCとダンディーFC、イングランド一部リーグ（現プレミアリーグ）チェルシーFCでプレー。チェルシー在籍時は、イギリスFAカップとヨーロッパカップウィナーズカップの優勝も経験。イングランドでは、チェルシーの「伝説的な選手」として広く知られている。また、スコットランド代表として16試合に出場。FIFAワールドオールスターチームのメンバーにも選ばれたこともある。アルフレッドと共にサッカーテクニック向上のための本や記事の執筆、ビデオの制作も行う。

クーバー・コーチングとは

歴史

　1970年代後半、オランダ人指導者、ウィール・クーバーが、革命的なサッカーの指導法を開発しました。もともと彼は、当時のプロの試合から見えてくる、技術の欠落したプレースタイルに満足していませんでした。ファンを魅了するには、テクニックを生かしたサッカーが確立されなければならないと考え、そのために個人技術を磨く指導に至りました。

　当初のクーバーの指導は、ボールマスタリーや1対1のテクニックの指導をメインに行うもので、スタンレー・マシューズやヨハン・クライフ、ペレのようないつになっても色あせない、優れた動きをする選手のプレーを見習うよう選手たちに促すものでした。そうして1984年、ウィール・クーバーの考えに触発され、アルフレッド・ガルスティアンとチャーリー・クックが設立したのが、現在世界中で知られている「クーバー・コーチング」です。

　以後、クーバー・コーチングは世界25カ国においてグローバルサッカー教育ネットワークとなりました。1984年以降、世界中で百万人以上の選手と千人以上のコーチがクーバー・プログラムにかかわっています。

　現在、クーバー・コーチングは、特に5〜16歳の若い選手たちや、その年代のコーチや先生方に適したサッカー技術指導方法の先駆けとして広く認められています。2010年、アディダス社はFIFAの社会貢献活動である"Football for Hope"のプログラムにクーバー・コーチングを採用しました。

「マシューズフェイント」を編み出したマシューズ（左）と、クーバー（右）

（左から）チャーリー・クック、ウィール・クーバー、アルフレッド・ガルスティアン

育成理念

サッカーの技術と自信を備えた
クリエイティブな選手を育てる

練習を楽しくする環境づくり

スポーツマンシップと、
すべてに敬意を表す姿勢を教える

勝負へのこだわりと、個性とパフォーマンスの向上

カリキュラム

クーバー・コーチングの指導には、
育成理念に基づいたカリキュラムがあります。

＜選手育成ピラミッド＞

- グループプレイ — GROUP PLAY
- フィニッシュ — FINISHING
- スピード — SPEED
- 1v1の動き — 1v1 ATTACK + DEFENCE
- パス&レシーブ — RECEIVING + PASSING
- ボールマスタリー — BALL MASTERY

グループプレイ	ドリブルやパスなど、すべてを組み合わせて行うプレーのこと。少人数でのグループディフェンスやファーストブレイクアタック、コンビネーションプレーなどのことをいいます。
フィニッシュ	ペナルティーエリア付近での得点力の強化。ゴールを狙う姿勢、シュートのタイミング、そのための勇気や集中力を身につけます。
スピード	考えるスピードと身体的なスピードの養成。ボールがある状態はもちろん、ボールがない状態でのスピードの養成も含まれます。具体的には、加速力、反応するスピード、決断力を高めるトレーニングなどを行います。
1v1の動き	突破力、ボールキープ力など個人の技術のこと。この技術を養成することで、ドリブルやパス、そしてシュート、フリーランニングをするための時間とスペースを自分でつくりだせるようになります。
パス&レシーブ	チームプレーの技術のこと。パスを出したり、パスを受けたり、そのためにフリーランニングをするなど、サッカーはチームメイトと協力することで成り立つものです。
ボールマスタリー	すべてのプレーの基礎となるエクササイズ。育成ピラミッドの各段階で技術や戦術を習得する際に影響を与えます。ボールコントロールが上達するので、プレーに対する自信が生まれます。

Introduction

ボールマスタリーとは？

この本のテーマとなる「ボールマスタリー」とは、
前ページの「選手育成ピラミッド」の基礎の部分になります。

ボールマスタリーで正確な技術を身につける

キックやファーストタッチ、ドリブルの技術が確実にアップする

　ボールマスタリーは**ボールを自在にあやつる能力**を身につけるためのトレーニングのことです。このトレーニングを継続して行うことでボールをタッチするときの感覚（ボールフィーリング）が身につきます。

　ボールフィーリングとは「どのくらいの強さでタッチすると、ボールがどのくらい移動するか？」や「足のどの部分でタッチすると、どの方向にボールが移動するか？」という感覚のこと。方向や強さが**正確なキックやファーストタッチ、ドリブルができる選手**は、必ずこの感覚をつかむことができています。

　ボールマスタリーのトレーニングは、足の裏やインステップなど足のいろいろな部分を使い、単純な動きの簡単なトレーニングから、動きの種類を2つ、3つと合わせ複雑で難易度の高いトレーニングまで、**たくさんのバリエーション**があり、技術を磨くには絶対に欠かせない個人のスキルアップメニューです。

＜この本で登場するボールマスタリー＞

Chapter1	トータップ…ボールに触れる感覚を知る	⇒ 5種目
Chapter2	スライド…柔軟性を身につける	⇒ 5種目
Chapter3	プルプッシュ…タッチの正確さをしっかり磨く	⇒ 9種目
Chapter4	カットドリブル…ステップワークをマスターする	⇒ 9種目
Chapter5	ボールウォーク…バランス感覚とリズム感を養う	⇒ 6種目

ボールマスタリーの効果

ボールマスタリーには、3つの効果があります。

＜ボールマスタリーの3つの効果＞

柔軟性 UP　コーディネーション能力 UP　正確なボールコントロール UP

名指導者からの言葉

ボールマスタリーは、育成年代の基礎能力を養成するトレーニングです。バルセロナやメッシの優れたプレーは、卓越したボールマスタリーの能力から生み出されるものであり、プレーする上で非常に重要な能力です。クーバー・コーチングはボールマスタリーの指導において世界のリーダー的存在であると考えています。

（元アルゼンチン代表、オズワルド・アルディレス氏）

1 柔軟性を養う

　試合中、ボールを思ったとおりに扱う能力を身につけるには、ボールマスタリーのエクササイズが不可欠です。実際、ボールを意のままにあやつるには、**足首・ひざ・またの関節を柔軟に使いこなす**ことが必要です。例えば下の図（プルプッシュ、p48参照）の動きでは、左の写真の場合、ボールを足の裏で引くときに足首が垂直(すいちょく)になっています。右の写真では、次の段階としてボールをインステップで前に出そうと、足首を水平にし、つま先を地面の方へ向けています。こういった**足首の曲げ伸ばし**が、柔軟性を高める動きになってきます。

Introduction

コーディネーション能力の向上

＜コーディネーション能力って？＞

「コーディネーション能力」とは、目的や状況を五感（神経系）で察知して、体や足を巧みに連動させる能力です。「反応」「定位」「連結」「変換」など7つの種類がありますが、バランス感覚やリズム感覚、もしくは物事に対して判断し、体や足を動かす感覚などと理解すればわかりやすいかもしれません。神経系が特に発達する時期のキッズ年代では、これらの能力の習得が非常に重要であると考えられています。ボールマスタリーのメニューはすべて、このコーディネーション能力を発達させるものになっています。

右足や左足、ひざ、足首などの関節などを**連動してバランスよく使えるようになる**ことで、コーディネーション能力は高まります。ボールマスタリーの各トレーニングは、両足を同じように使って反復練習を行うので、**右足と左足のバランスが良くなります。**正しい動きで反復練習を行うことは、テクニックの習得や、コーディネーション能力がアップすることにつながってきます。

正確なボールコントロールの習得

個々のスキルアップは すべて試合に生かされる

　ボールマスタリーは、クーバー・カリキュラムである「選手育成ピラミッド」（P.005参照）のすべてに通じ、試合中見られる各プレーに影響を与えることになるでしょう。

　ボールマスタリーのエクササイズを行うことで、ボールを自分の支配下におき、巧みにあやつる能力が身につきます。

　はじめはゆっくりとしたスピードで構いません。慣れてきたら徐々にスピードアップしていきましょう。スピードをあげることで、**ボールコントロールとドリブルの精度があがり、1対1でのテクニックも身につきます。**そうすれば、試合中、相手の動きを制限したり、混乱させたりできます。ほかには、狭いスペースの間をぬってすばやくボールをコントロールできるでしょう。ボールを巧みにあやつることができれば、試合中、相手よりも優位に立つことができます。

　トレーニング中、ボールを適切にコントロールしなければ、反復して各トレーニングを継続することはできません。

　例えば、プルプッシュのトレーニングの場合、インサイドで押し出すときのタッチが強すぎるとボールが自分の体から遠くへ行ってしまい、継続して行えません。**適切な強さでタッチする**感覚を身につけることで、プレッシャーを受けたときでも、相手からボールを奪われないようなタッチができます。もし前にスペースがあるのであればファーストタッチ1回でそのスペースへ効率よく進入することが可能となります。

Introduction

ボールマスタリーのトレーニング方法

10〜15分程度で3〜5種目を目安にしてトレーニングを効果的に行う

　ボールマスタリーのトレーニングは、一定のリズムの動きをくり返し反復して行いますので、心拍数をあげるのに適しています。通常、心拍数をあげるには、「ランニング」を思い浮かべるかもしれませんが、ボールを使って行ったほうが、選手は意欲的に取り組むでしょう。また、ボールをていねいに扱うよう意識することで集中力を高める効果もあります。ただし、練習のしすぎには注意しましょう。必要以上に一定のリズムで同じ動きをくり返しすぎると特定の筋肉や関節にのみ負担がかかり、**ケガの原因になる可能性**があります。時間にしておよそ**10〜15分**程度、トレーニングも**3〜5種目**くらい行うのが目安です。さらにボールマスタリーのトレーニングは、あまり広いスペースを必要とせず、ボール1個さえあれば行えます。

＜応用スキルへの指導ポイント＞

はじめから子どもがボールマスタリーの技をうまくできるとは限りません。そのときには、以下のポイントを大切に段階を踏んで指導していきましょう。

ポイント1 スピードを急にあげて行うのではなく、まずはゆっくりとていねいに行う

ポイント2 まずは得意な利き足からはじめ、うまくできたら苦手な足でも行ってみる

ポイント3 左右の足を交互に使ったり、足のさまざまな部分（インサイド、アウトサイド、インステップ、足の裏など）を使った複雑な動きを行う

ポイント4 止まった状態から動いた状態へとつなげる（①その場で止まった状態で行う→②まっすぐ前に進みながら行う→③前後左右自由に動きながら行う）

ポイント5 一定時間内で何回できるか毎回、記録して、前回の記録を超えることを目標に定期的にトライする

ポイント6 仲間との競争（例：○秒間で何回できるか？　○メートル進む間に何回タッチできるか？　など）

こちらにあげる円グラフは、クーバー・コーチングで小学生年代を指導するときに利用しているトレーニング内容の比率の例です。クーバー・コーチングのコーチたちは、この円グラフをもとに1回のトレーニングを計画しています。

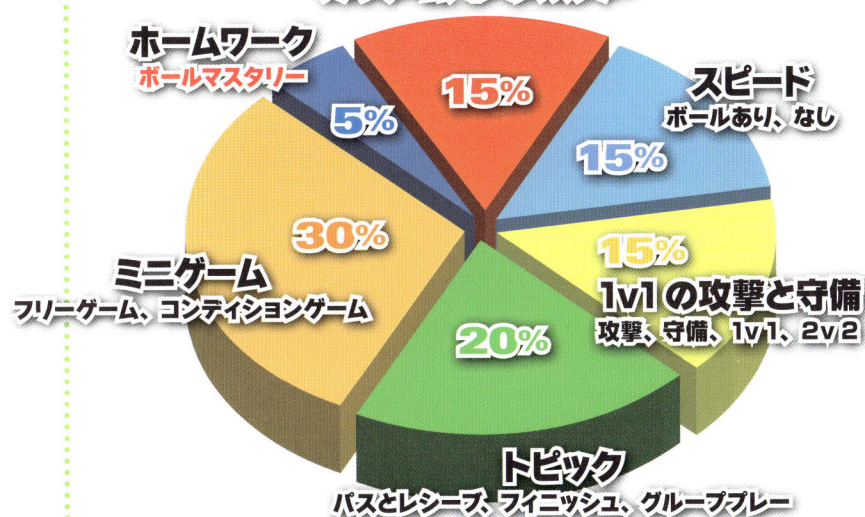

＜1回のトレーニング割合＞

クーバー・コーチングではボールマスタリーを練習開始後のウォーミングアップのときに行います。練習の最初は、比較的、体が疲労しておらず、感覚や神経が研ぎすまされている状態なので、ボールに対する感覚を身につけるにはたいへん効果的です。

またチームでの練習以外の時間、つまり自主練習用のメニューとしても利用できます。指導者の方は、「宿題」としてボールマスタリーのトレーニングを選手に課すこともできます。

この本に掲載されている、ボールマスタリーのトレーニングの中で、興味を持ったものを自分で探し出し、自主練習用のメニューとして自ら行うこともできるでしょう。

ジュニアサッカー クーバー・コーチング キッズのトレーニングメニュー集
ボールマスタリー34 DVD付き

はじめに	002	ボールマスタリーとは？	006
著者紹介	003	本書の使い方	015
クーバー・コーチングとは	004	DVDの使い方	016

Chapter 1
トータップ　　ボールに触れる感覚を知る

トータップとは？	018
STEP 1　トータップ	020
STEP 2　トータップ&ステップオーバー	022
STEP 3　トータップ&90度回転	024
STEP 4　トータップ&スラップ	026
STEP 5　トータップ&スラップステップオーバー	028

Chapter 2
スライド　　柔軟性を身につける

スライドとは？	032
STEP 1　スライド	034
STEP 2　リズムスライド	036
STEP 3　トータップ&スライド	038
STEP 4　ビハインド・スライド	040
STEP 5　スラップ、スライド&インサイドタッチ	042

Chapter 3

プルプッシュ　　　　タッチの正確さをしっかり磨く

プルプッシュとは？	046
STEP 1 プルプッシュ	048
STEP 2 プルプッシュ・インサイド	050
STEP 3 プルプッシュ・アウトサイド	052
STEP 4 プルプッシュⅤ・インサイド	054
STEP 5 プルプッシュⅤ・アウトサイド	056
STEP 6 プルプッシュⅤ・インサイド&アウトサイド	058
STEP 7 プルプッシュⅤ&ステップオーバー	060
STEP 8 片足ビハインド・プルプッシュ	062
STEP 9 両足ビハインド・プルプッシュ	064

Chapter 4

カットドリブル　　　　ステップワークをマスターする

カットドリブルとは？	068
STEP 1 片足カットドリブル	070
STEP 2 両足カットドリブル	072
STEP 3 両足カットドリブル・2タッチ	074
STEP 4 両足カットドリブル・イン‐アウト	076
STEP 5 空中カットドリブル	078
STEP 6 両足カットドリブル・イン‐イン	080
STEP 7 両足カットドリブル・アウト‐アウト	082
STEP 8 両足カットドリブル&ステップオーバー	084
STEP 9 ウィップ	086

Chapter 5
ボールウォーク　　バランス感覚とリズム感を養う

ボールウォークとは？	090
STEP 1　ボールウォーク	092
STEP 2　リズムボールウォーク	094
STEP 3　ボールウォーク・フォア	096
STEP 4　ボールウォーク・バック	098
STEP 5　ビハインド・ボールウォーク	100
STEP 6　Uターンドリブル	102

指導者・保護者のためのキッズ指導 Q&A

PART1　キッズの指導で大切なこと	030
PART2　キッズ年代に適したボール	044
PART3　個を育てる技術①	066
PART4　個を育てる技術②	088
おわりに	104

本書の使い方

本書はキッズ年代の子どもたちがひとりでも安心して特訓できる、34の練習メニューを紹介しています。本を読み進めていきながらスキルアップできる構成となっておりますので、連続写真とポイント解説をあわせて、本書をご活用ください。

1 カテゴリー
カテゴリーはどの年代に合わせた練習メニューかを把握することができます。U-6は4〜6歳、U-8は7〜8歳、U-10は9〜10歳が目安となります。

2 映像を見る
DVDのメニューナンバーを表示しています。すべて映像で確認できるので、本書と併用することで、動きがわかりやすくなります。

3 実践前の確認事項
練習に取りかかる前に確認しておきたい内容が表示されています。練習前に確認することで、うまく実践に生かせるでしょう。

4 動きを知る
連続写真でしっかりと動き方がわかります。ボールの動き方や体の向きなどを確認。

5 コーチからのアドバイス
練習がうまくいくようにコーチのアドバイスを参考にしてください。OKと表示されている場合は問題なくできていること。NGの場合は、うまくできていない例なので気をつけましょう。

6 チェックシート
次のステップに進む前にもう一度、確認したいポイントを表示しています。すべてクリアできていたら、次のステップに進みましょう。

全メニューを完全収録！
DVDの使い方

ステップ形式でわかりやすく解説。
はじめてでも安心の個人レッスン

······○ DVD収録内容 ○······

体の動きやボールに触れる場所など
スロー映像とポイント解説で研究しよう！

TOPメニュー
TOPメニューから各項目をクリックし、見たい映像を選択すると、その映像画面にジャンプします。

BONUS TRACK
著者が選ぶ究極のボールマスタリー10項目を映像で紹介!!

付録DVDに関する注意
●本誌付録のDVDはDVD-VIDEO（映像と音声を高密度で記録したディスク）です。DVD-VIDEO対応のプレーヤーで再生してください。DVD再生機能を持ったパソコン等でも再生できますが、動作保証はできません（パソコンの一部機種では再生できない場合があります）。不都合が生じた場合、小社は動作保証の責任を負いませんので、あらかじめご了承ください。●ディスクの取り扱いや操作方法は再生するプレーヤーごとに異なりますので、ご使用になるプレーヤーの取り扱い説明書をご覧ください。●本DVDならびに本書に関するすべての権利は、著作権者に留保されます。著作権者の承諾を得ずに、無断で複写・複製することは法律で禁止されています。また、本DVDの内容を無断で改変、第三者へ譲渡・販売すること、営利目的で利用することも法律で禁止されております。●本DVD、または本書において、乱丁・落丁・物理的欠陥があった場合は、小社までご連絡ください。

▶ ## Chapter 1
トータップ
ボールタッチの感覚が身につく練習メニューを収録

▶ ## Chapter 2
スライド
体や足の柔軟性が養われる練習メニューを収録

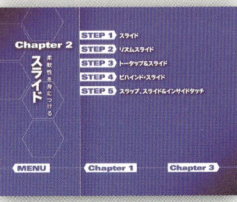

▶ ## Chapter 3
プルプッシュ
タッチの正確さをしっかり磨ける練習メニューを収録

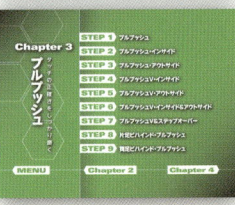

▶ ## Chapter 4
カットドリブル
細かいステップワークが身につく練習メニューを収録

▶ ## Chapter 5
ボールウォーク
バランス感覚とリズム感を養う練習メニューを収録

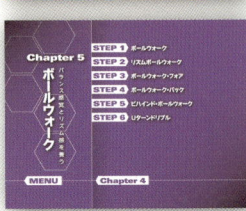

Chapter 1
トータップ
ボールに触れる感覚を知る

最初のチャレンジメニューはトータップ。たくさんボールタッチすることで、しだいに技術が育まれていきます。何度も練習して、ボールに触れる感覚をつかんでもらいたいトレーニングです。

STEP 1	トータップ	P.020
STEP 2	トータップ＆ステップオーバー	P.022
STEP 3	トータップ＆90度回転	P.024
STEP 4	トータップ＆スラップ	P.026
STEP 5	トータップ＆スラップステップオーバー	P.028

Chapter 1

トータップ とは？

トータップってどんな動き？

トータップとは、インサイドを使って、単純なリズムでボールタッチする動きのことを指します。

トー（英語で Toe）とは、"つま先"という。タップ（Tap）は、リズムよくテンポを刻みながらボールをタッチすること。つまり、つま先立ちで走るようにステップを踏みながら、両足のインサイドの間で、リズムよく、左右交互に軽くボールをタッチすることが、「トータップ」です。

ひとつひとつの練習にリズムがあるので、例えば自分で「1、2」とリズムを刻みながら行えば、上達の道は近いはずです。

トレーニングのねらいとポイント

1 インサイドでのボールコントロールによって、正確なタッチの感覚をつかめる

2 キックやボールコントロールの能力を高めるためにすべて両足を使ったメニュー

3 すばやい足の動きがフットワークを向上させるので、なるべくスピードを上げて行う

Toe Tap

Chapter1で紹介するのはトータップ。
リズムよく行い、ボールに触れる感覚をつかんでください。

トータップの上達でどういう技術が身につく?

　トータップはすべて両足を使ったメニューなので、正確なボールタッチが磨かれていきます。うまくできるようになってきたら、だんだんタッチと足を動かすスピードを上げていきましょう。そして、時々目線をあげることにもトライしてください。

　そうすれば、正確で速いドリブルができるようになり、1対1の場面でも、細かいタッチで相手のバランスを崩して、一気に抜き去ることができるようになるかもしれません。

　軽快なステップと細かいボールタッチで何人も相手を抜き去っていく選手といえば、世界では、アルゼンチン代表で活躍するリオネル・メッシ選手があげられるでしょう。最も参考になるプレーヤーです。

モデルプレイヤー

Lionel Messi

Photo by Getty Images

リオネル・メッシ
（アルゼンチン）

マラドーナの後継者とされる、世界最高峰のテクニックプレーヤー。限られたスペースも苦にしない、タッチ数の多いドリブルが特徴。爆発的な加速力で、一瞬にして相手を置き去りにしてしまう。

| U-6 | U-8 | U-10 |　　　DVD >>> Chapter 1 >>> STEP 1

STEP 1 振り子のような足さばきで魅せる！
トータップ

右足と左足のインサイドで順番にボールをタッチ！
右足と左足が友達のように協力するトレーニング。

1 右足のインサイドでタッチ

2 次は左足のインサイドでタッチ

ワンランク上の コーチングアドバイス

上半身を起こして胸を張る。さらにひざをしっかりと曲げてつま先立ちになることを意識する。

OK!

ひざを軽く曲げて走るようにできていて、ときどき顔を上げながらできている。

OK!

COERVER BALL MASTERY
Toe Tap

トレーニング前に確認してみよう

スペース
半径1m以内

動き方
その場で行う

ココに注目!
つまさき立ちで行ってみよう
ひざは軽く曲げてかかとを地面につけずに走るようなイメージで行う。

3 反対の足へのタッチは強すぎず、弱すぎず

4 走るような流れでタッチする

チェックシート 〜次のステップに進む前に・・・〜

- □ ひざをほどよく曲げてできている
- □ かかとを上げて、つま先立ちでできている
- □ 胸を張って目線を上げてできている

これができると・・・
ドリブルのボールの足さばきがすばやくできるようになる

Chapter 1 トータップ
Chapter 2 スライド
Chapter 3 プルプッシュ
Chapter 4 カットドリブル
Chapter 5 ボールウオーク

| U-6 | **U-8** | U-10 |　　　DVD >>> Chapter 1 >>> STEP 2

STEP 2
急激な方向転換で敵をあざむけ！
トータップ＆ステップオーバー

トータップと、フェイントのひとつである「ステップオーバー」を組み合わせてチャレンジしてみよう。

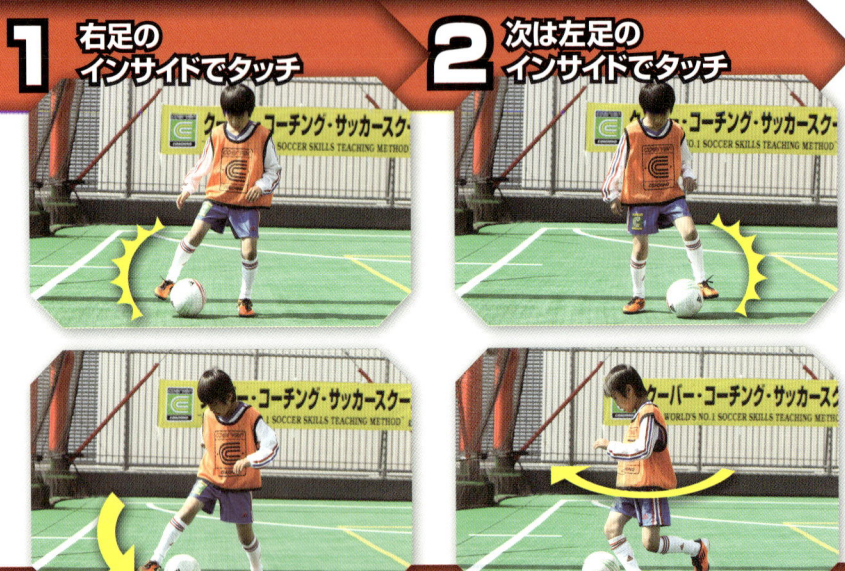

1 右足のインサイドでタッチ

2 次は左足のインサイドでタッチ

3 右足でステップオーバーをする

4 ボールをまたいだ右足を軸に180度回転

ワンランク上の コーチングアドバイス

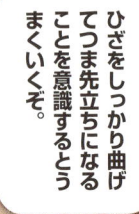

ひざをしっかり曲げてつま先立ちになることを意識するとうまくいくぞ。

またぐ足はボールの横をかすめるようにして、すばやく大きく。

COERVER BALL MASTERY
Toe Tap

トレーニング前に確認してみよう

スペース
半径2m以内

動き方
その場で行う

ココに注目!
ボールをよく見てまたごう

ステップオーバーする足は大きく、そしてボールの近くをまたぐ。

5 左足のインサイドですばやくボールをおさえる

6 右足のインサイドでタッチ

7 左足でステップオーバーをする

8 ボールをまたいで左足を軸に180度回転

チェックシート　〜次のステップに進む前に・・・〜

☐ ステップオーバーする足はなるべく低く
☐ 慌てないでスムーズな足さばきをしよう

これができると・・・
ステップオーバーのフェイントがうまくなる

Chapter 1 トータップ
Chapter 2 スライド
Chapter 3 プルプッシュ
Chapter 4 カットドリブル
Chapter 5 ボールウォーク

| U-6 | **U-8** | U-10 |　　DVD >>> Chapter 1 >>> STEP 3

STEP 3
敵のボール奪取を体でブロックする！
トータップ&90度回転

足の裏を使ってボールを引きながら
スムーズに90度回転するトレーニング。

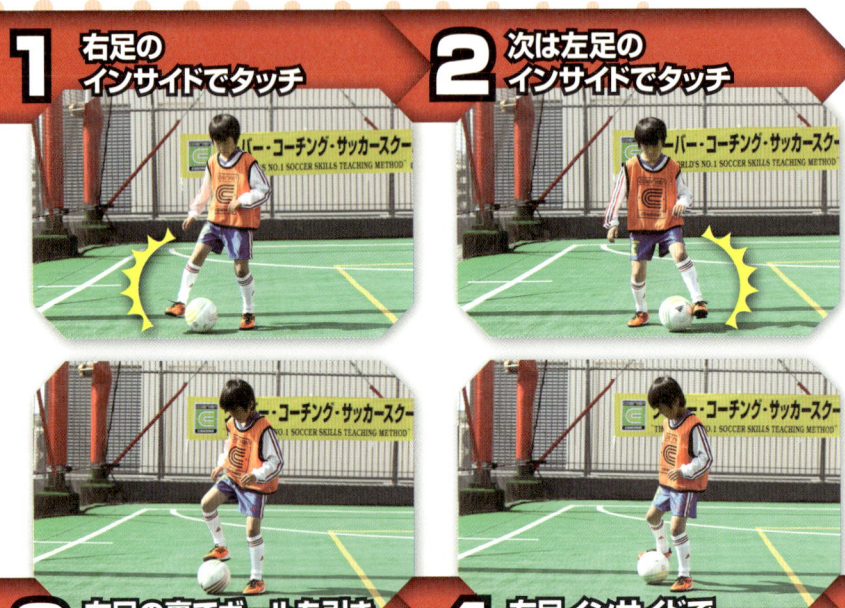

1 右足のインサイドでタッチ
2 次は左足のインサイドでタッチ
3 右足の裏でボールを引き90度回転して
4 右足インサイドでボールを止めトータップ

ワンランク上の コーチングアドバイス

視線は下がり過ぎないように注意！良い姿勢を保つとすばやく回転できるようになる。

OK!

ボールを引くときはやさしく、強すぎてはいけない。

NG!

COERVER BALL MASTERY
Toe Tap

Chapter 1 トータップ

トレーニング前に確認してみよう

スペース
半径1m以内

動き方
90度ずつ回転しながら行う

ココに注目!
良い姿勢を保って回転しよう
ボールを引く足と軸足をうまく連動させスムーズに90度回転。

5 右足の裏でボールをとらえたら

6 そのままボールを引きながら

7 体を右に90度回転させる

8 この回転をすばやくできるように

✓ チェックシート 〜次のステップに進む前に・・・〜

☐ 足の裏でボールを柔らかく引くことができている
☐ 得意ではない足でもできている

これができると・・・ 足の裏を使ったボールタッチがうまくなる

Chapter 2 スライド
Chapter 3 プルプッシュ
Chapter 4 カットドリブル
Chapter 5 ボールウォーク

025

| U-6 | **U-8** | U-10 |　　　　DVD >>> Chapter 1 >>> STEP 4

STEP 4
ボールを足の裏で転がしスムーズな体重移動を！
トータップ&スラップ

左右のインサイドで2回タッチ、そして3回目にスラップ！
スラップとは足の裏でボールを転がすボールタッチのこと。

1 右足のインサイドでタッチ

2 次は左足のインサイドでタッチ

3 右足の裏でボールをとらえたら

4 ボールを足の裏で左方向に転がす

ワンランク上の コーチングアドバイス

スラップするとき、軸足のひざを柔らかく曲げて使うとうまくできる。

OK!

軸足のひざが硬いと、足の裏でボールを引っかくだけになってしまう。これはスラップでない。

NG!

COERVER BALL MASTERY
Toe Tap

Chapter 1 トータップ

トレーニング前に確認してみよう

スペース
半径2m以内

動き方
その場で行う

ココに注目！
転がすと同時に体重移動も

足の裏でボールを転がした後、両足がクロスしているのが正しい動き。

5 スラップした足を地面に着地させ

6 左足のインサイドでタッチ

7 次は右足のインサイドでタッチ

8 左足の裏でボールをスラップ

チェックシート 〜次のステップに進む前に・・・〜

- □ スラップした足が、軸足の方向に着地している
- □ ボールをなめてスラップしたあと、逆の足ですばやくボールタッチすることができる

これができると・・・ スムーズな体重移動により、バランス感覚が養われる

Chapter 2 スライド
Chapter 3 プルプッシュ
Chapter 4 カットドリブル
Chapter 5 ボールウォーク

027

| U-6 | U-8 | **U-10** |　　　DVD >>> Chapter 1 >>> STEP 5

STEP 5

華麗なステップで敵の逆方向を突く!

トータップ&スラップステップオーバー

トータップ&スラップとステップオーバーの組み合わせ。
右足と左足を順番にリズムよく動かすことが成功のポイント。

1 まずはトータップを行う

2 右左のインサイドでタッチ

3 右の足裏でスラップ

4 スラップした足を地面に着地させ

ワンランク上の コーチングアドバイス

スラップしたあと、反対の足でスムーズにステップオーバーができている。

ときどき目線を上げることができている。

COERVER BALL MASTERY
Toe Tap

トレーニング前に確認してみよう

スペース
半径3m以内

動き方
その場で行う

ココに注目!
良い姿勢で華麗なステップ
複雑な動きをスムーズに行いながら、たまに目線を上げることを意識。

Chapter 1 トータップ

---

5 反対の左足でステップオーバー

6 ステップオーバーした左足を軸に

7 体を180度回転する

8 右足インサイドでボールをとらえる

チェックシート 〜次のステップに進む前に・・・〜

☐ スムーズにできている？
「スラップ→ステップオーバー→回転→反対足でボールタッチ→・・・」

☐ しっかり目線を上げてできている

これができると・・・ 試合中にスラップステップオーバーのフェイントを有効に使えるようになる

Chapter 2 スライド
Chapter 3 プルプッシュ
Chapter 4 カットドリブル
Chapter 5 ボールウォーク

029

COLUMN

現場での悩みに答える！

指導者・保護者のための

キッズ指導Q&A

PART1 >>> キッズの指導で大切なこと

Q 今年からキッズ年代にサッカーを教えることになった新米コーチです。キッズの指導を行う前に、知っておきたいことは何ですか？

A キッズ年代は、自分自身の動きや感覚によって物事を考える時期ですので、サッカーをプレーすることよりも、サッカーを通しての「遊び」で体を動かすことが大切です。ボールを足で扱うだけではなく、手を使ってボールをコントロールしたり、キャッチしたり、または、ボールを使わない鬼ごっこをしたり、さまざまな動きをしていくことで、スポーツに必要な能力を獲得していきます。ですから、遊びの要素を多く取り入れた練習をメニューに組み込んでみてはいかがでしょうか。

また集中力が長く続かない年代であるため、話をする場合には、短くわかりやすい言葉で伝えることも大切になってきます。コーチが実際にお手本をやって見せることで簡単に伝えることも可能です。

練習ではうまくいかないことが多いかもしれませんが、子どもたちのやろうとする姿勢や、できたことをほめたりするなど、子どもが前向きに楽しくボールを追いかけることができる環境作りが大切であると考えます。

Chapter 2
スライド
柔軟性を身につける

続いては、ボールタッチにリズムが生まれるメニューです。体の動きとタッチをソフトに使いこなし、ボールフィーリングの基本を養いましょう。

STEP 1	スライド	P.034
STEP 2	リズムスライド	P.036
STEP 3	トータップ&スライド	P.038
STEP 4	ビハインド・スライド	P.040
STEP 5	スラップ、スライド&インサイドタッチ	P.042

Chapter 2

スライドとは？

スライドってどんな動き？

スライドとは、足の裏でボールを外側にすべらせ、そして同じ足のインサイドでボールをタッチする動きのことを指します。

すべらせることを英語でスライド（slide）と言います。右足と左足を交互に使って同じ動きを繰り返します。単純な動きなので、キッズでもすぐうまくなるでしょう。

ボールをタッチしている足も大切ですが、軸足はもっと重要です。ボールの移動に合わせて、ひざを曲げたり、伸ばしたり柔軟に使いましょう。そうすると体のバランスが保たれ、ボールタッチにリズムが生まれます。

トレーニングのねらいとポイント

1 タッチをなめらかに行うことで、ボールに触れる感覚が身につき、ボールコントロールが良くなる

2 相手からのプレッシャーに対し、ボールを奪われないよううまくかわすことができる

3 ボールを触っているほうの足だけでなく、軸足のひざや足首の動きも大切だとわかるようになる

Slide

日本代表・香川真司選手のプレーにもつながってくるテクニック。やわらかいタッチを心がけて取り組めば、確実に身につくトレーニング。

スライドの上達でどういう技術が身につく?

ボールを外側へスライドさせたら、まずインサイドでしっかり止めることを意識しましょう。このとき、ピタリと止まることが重要です。これが正確なファーストタッチを成功させるための第一歩となります。加えて、ボールをタッチしている足も大切ですが、軸足もおろそかにしてはいけません。ボールの移動に合わせて、ひざを曲げたり、伸ばしたり柔軟に使いましょ

う。ボールタッチする足と軸足を同時にうまく使えると、ボールに伝わる力が柔らかいものになります。

ファーストタッチの柔らかさが抜きん出ている選手といえば、日本代表で活躍する香川真司選手。正確でクリエイティブなファーストタッチができるから、狭いスペースでの華麗なドリブル突破につながり、多くのゴールに結びつくのです。

モデルプレイヤー

Shinji Kagawa

香川真司
(日本)

日本代表を力強く牽引するドリブルのスペシャリスト。正確で柔らかいファーストタッチが特徴で、狭いスペースにも動じない。スピードに乗ったドリブルで相手陣内を鋭く切り刻む。

Photo by Getty Images

| U-6 | U-8 | U-10 |

DVD >>> Chapter 2 >>> STEP 1

STEP 1

ボールを足の裏ですべらせる動きを身につける!

スライド

足の裏ですべらせるようにボールを外側に転がして、インサイドでタッチするトレーニング。

1 両足を開いて右インサイドの面にボールをセット

2 左足の裏をボールにのせて

3 ボールを足の裏ですべらせるように外側へ

4 左足のインサイドでピタリと止める

ワンランク上の コーチングアドバイス

体の軸がぶれずにバランスを保ちながらできていればOK。

外側にスライドさせたあとインサイドでボールをしっかり止めることができている。

COERVER BALL MASTERY
Slide

トレーニング前に確認してみよう

スペース
半径1m以内

動き方
その場で行う

ココに注目!
インサイドに吸いつくように
外側にボールをスライドさせた後、インサイドでボールを止める。

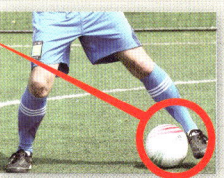

5 次は右足をつかって

6 右足の裏をボールにのせて

7 ボールを足の裏ですべらせるように外側へ

8 右足のインサイドで止める

チェックシート
〜次のステップに進む前に・・・〜

- □ ボールを足の裏で外に転がしてインサイドで止めるまで、ずっと足にくっついている感覚がある
- □ 目線を上げながらできている

これができると・・・ すばやい足さばきができるようになる

Chapter 1 トータップ
Chapter 2 スライド
Chapter 3 プルプッシュ
Chapter 4 カットドリブル
Chapter 5 ボールウォーク

035

| U-6 | **U-8** | U-10 |　　　　DVD >>> Chapter 2 >>> STEP 2

STEP 2　ボールをスライドする感覚をマスター！
リズムスライド

なるべく目線を上げながら軸足でステップを踏み、リズムよくスライドをやってみよう。

1 右足の裏をボールの上にセット

2 ボールを外側へすべらせながら

3 軸足（左足）は軽くはねる

4 右インサイドでボールを止める

ワンランク上の コーチングアドバイス

ボールを足の裏でコントロールしたら、軸足はスキップを踏むイメージをもつ。

OK!

軸足のひざの曲げ伸ばしが柔軟にできている。

OK!

Slide

トレーニング前に確認してみよう

スペース
半径1m以内

動き方
その場で行う

ココに注目!
軸足を軽快にはねながら行う

軸足は軽くはね、ボールをタッチする足は外側へスライドさせる。

5 左足をボールの上にセットしたら

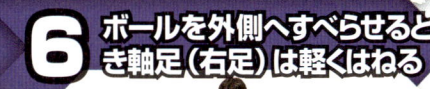

6 ボールを外側へすべらせるとき軸足（右足）は軽くはねる

7 左足のインサイドでボールを止めて

8 右足の裏でボールをおさえにいく

チェックシート
～次のステップに進む前に・・・～

☐ 足の裏でボールをスライドするタイミングと、逆の足の軸足がはね上がるタイミングが合っている

☐ 目線を上げながらできている

これができると・・・ すばやい足さばきができるようになる

| U-6 | **U-8** | U-10 |　　　DVD >>> Chapter 2 >>> STEP 3

STEP 3
足の裏とインサイドのコンビネーション！
トータップ＆スライド

前の章のテーマだったトータップとスライドを組み合わせたトレーニング。

1 まずはトータップを左足からスタート

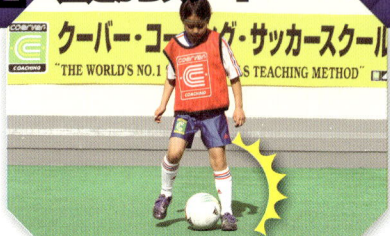

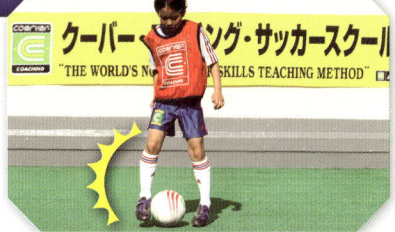

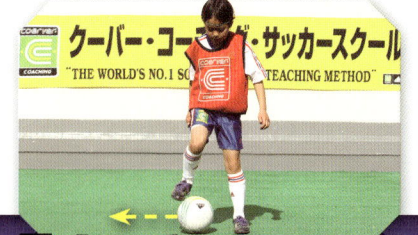

2 トータップを左右で5回連続で行ったら

3 ボールに右足をのせて次はスライドを2回行う

4 右足でボールをすべらせるように外側へ

ワンランク上の コーチングアドバイス

トータップ5回→スライド2回→トータップ5回→……というように、テンポよくスムーズに！ **OK!**

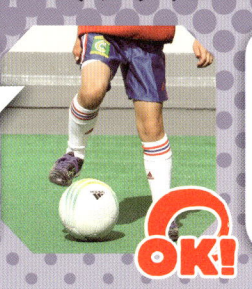

トータップを5回したあと、スライドをする前に一度止まってしまうとリズムが悪くなるぞ。 **NG!**

COERVER BALL MASTERY
Slide

トレーニング前に確認してみよう

スペース
半径1m以内

動き方
その場で行う

ココに注目!
目線を上げてリズムよく！
トータップを5回、スライド2回と、一定のリズムを意識する。

---

5 右足のインサイドで止める

6 今度は左足をボールにのせて

7 ボールを外側へスライドする

8 左足のインサイドで止める

チェックシート 〜次のステップに進む前に・・・〜

- □ スライドを2回するときにリズムよくできている
- □ 目線を上げながらできている

これができると・・・ 足の裏とインサイドのコンビネーションで相手をかわせるようになる

Chapter 1 トータップ
Chapter 2 スライド
Chapter 3 プルプッシュ
Chapter 4 カットドリブル
Chapter 5 ボールウォーク

039

| U-6 | U-8 | **U-10** | DVD >>> Chapter 2 >>> STEP 4

STEP 4
鮮やかなスライドで相手のタックルをかわす！
ビハインド・スライド

後ろに動きながらのトレーニング。
しっかりコントロールするために気をつけることは？

1 左足の裏にボールをセットする

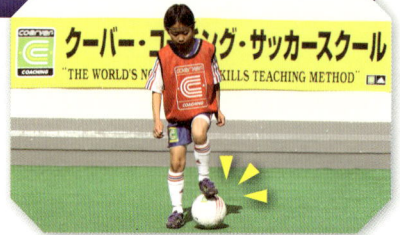

2 ボールを軸足（右足）のななめ後ろにスライド

3 左足のインサイドで止める

ワンランク上の コーチングアドバイス

体のバランスを保ち、1、2と数えながらリズムよくやってみよう！

スライドするときボールを軸足より後ろへ転がすことができている。

OK!

COERVER **BALL MASTERY**
Slide

トレーニング前に確認してみよう

スペース
たて15m×よこ2m

動き方
後ろに進みながら行う

ココに注目!
ボールの止める位置をチェック!
軸足よりも後ろの位置でボールをしっかり止める。

4 左インサイドでタッチしたら次に右足をボールにのせる

5 ボールをななめ後ろへスライドする

6 右インサイドでボールを止める

✓ チェックシート 〜次のステップに進む前に・・・〜

☐ スライドするとき、軸足をはねながらリズムよくできている
☐ 目線を上げながらできている
☐ ボールを軸足より後ろへ転がすことができている

これができると・・・ 相手がタックルをしてきても、ボールを軸足の後ろへ引いてかわせるようになる

Chapter 1 トータップ
Chapter 2 スライド
Chapter 3 プルプッシュ
Chapter 4 カットドリブル
Chapter 5 ボールウォーク

| U-6 | U-8 | **U-10** |　　DVD >>> Chapter 2 >>> STEP 5

STEP 5

軽やかなボールタッチをスムーズに！

スラップ、スライド＆インサイドタッチ

スラップ、スライド、インサイドのタッチと3つの技を組み合わせたトレーニング。少しレベルの高いメニューになる。

1 右足をボールにのせて

2 ボールを軸足の前を通してスラップする

3 左足をボールにのせて

4 外側へスライドする

ワンランク上の コーチングアドバイス

なかなか難しい技ではあるけれども、ときどき顔を上げることにトライしよう。

OK!

スライドした足をなるべく外側につくと、次のインサイドタッチがしやすくなる。

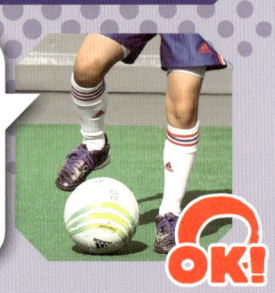

OK!

042

COERVER **BALL MASTERY**
Slide

トレーニング前に確認してみよう

スペース	ココに注目!
左右3m以内	周囲の状況を確認しよう
動き方	複雑な動きをスムーズに行いながら、たまに目線を上げることを意識。
その場で行う	

5 右足のインサイドでタッチ

6 左足でスラップする

7 右足で外側にスライド

8 左足のインサイドでタッチ

✓チェックシート 〜次のステップに進む前に・・・〜

☐ スライドをするとき軸足をはねながらリズムよくできている

☐ 目線を上げながらできている

これができると・・・ ボールをさばくのが速くなる

Chapter 1 トータップ
Chapter 2 スライド
Chapter 3 プルプッシュ
Chapter 4 カットドリブル
Chapter 5 ボールウォーク

043

COLUMN

現場での悩みに答える！

指導者・保護者のための

キッズ指導 Q&A

PART2 >>> キッズ年代に適したボール

Q 幼稚園の年代で、ボールのサイズはどのように選べば良いのでしょうか？何となく、小さいボールの方がテクニックが身につきそうなイメージがあります。

A クーバー・コーチング・サッカースクールでは、幼児の年代（U-6クラス）に3号球を使用しています。幼児期の身長や足の長さ、キック力、また安全にプレーすることを考慮し、この年代では3号球を使用することが一番適しているかと思います。

サッカーを始めるにあたって大切なことは、ボールを自由にコントロールできる足の感覚を養うことです。幼児期から両足のいろいろな部分でボールをコントロールし自由に扱うことができるのが理想です。ボールを自分が思ったように扱えることで、たくさんの成功体験を得ることができるかと思います。

小学校になると4号球を使用することになりますが、トレーニングするのであれば、小さなボールでも問題ないかと思います。小さなボールで、さらに感覚を養うこともできるでしょう。今のお子さんの成長段階に合ったボールを選び、楽しく安全にボールに触れ、サッカーに取り組んでもらえればと思います。

Chapter 3
プルプッシュ
タッチの正確さをしっかり磨く

個人技にはパスやキックの技術も大切になってきます。この章では、そういった技術の正確性を磨く練習メニューが盛りだくさんです。

STEP 1	プルプッシュ	P.048
STEP 2	プルプッシュ・インサイド	P.050
STEP 3	プルプッシュ・アウトサイド	P.052
STEP 4	プルプッシュV・インサイド	P.054
STEP 5	プルプッシュV・アウトサイド	P.056
STEP 6	プルプッシュV・インサイド&アウトサイド	P.058
STEP 7	プルプッシュV&ステップオーバー	P.060
STEP 8	片足ビハインド・プルプッシュ	P.062
STEP 9	両足ビハインド・プルプッシュ	P.064

Chapter 3

プルプッシュ とは？

プルプッシュってどんな動き？

プルプッシュとは、足の裏でボールを引き、インステップやインサイド、またはアウトサイドで押し出す動きのことを指します。少し複雑な動きですが、①ボールを引き、②前に出し、③反対の足でボールを止めるというように、1、2、3のリズムを声に出してトレーニングするとよいです。

その中でも「2：（ボールを）前に出す」ときに、正確な強さでタッチできるようになれば、自ずとキックの技術も上達します。試合中はわずかなパスコースのズレがミスにつながってしまうので正確に行うことを意識しましょう。

トレーニングのねらいとポイント

1 タッチの強さやボールの軌道（動き方）の感覚が身につき、キックやファーストタッチの精度が高まる

2 相手をかわす動きの練習になり、フェイントとボールタッチの動きをセットで覚えることができる

3 すばやく足を動かすことでフットワークが良くなる。スピードを上げれば上げるほど足さばきが速くなる！

Pull & push

正確なキックやファーストタッチのコントロールは、
この項をマスターすることで、抜群に精度が上がります。

プルプッシュの上達でどういう技術が身につく？

プルプッシュを行うときは、「まっすぐ引いて」「まっすぐ押し出す」ことを意識しましょう。このタッチを正確に繰り返しているうちに、インステップやインサイド、アウトサイドにボールが当たる感覚が体でわかるようになります。するとフォワードにラストパスを出すときの強弱も自由自在に調整できるようになります。

その場でのプルプッシュであれば、たとえ正確さを欠いても20cm程度のズレで済みますが、20m先に飛ばすキックの場合はミスキックになるでしょう。「少しのズレならいいや」と思わず、常に正確なエクササイズを行うように意識しましょう。正確にできればキックの技術は高まり、まるでスペイン代表のイニエスタのような成功率の高いパスを繰り出すことも夢ではありません。

モデルプレイヤー

Photo by Getty Images

Andres Iniesta

アンドレス・イニエスタ
（スペイン）

「手品師」の異名をとる、世界№1のコンダクター。視野の広さと正確なキックが最大の特徴。スペイン代表やFCバルセロナの華麗なパスサッカーを実行するために必要不可欠な存在。

DVD >>> Chapter 3 >>> STEP 1

| U-6 | U-8 | U-10 |

STEP 1
「引いて、出す」で敵のボール奪取をかわす!
プルプッシュ

キックやパスを正確に足でとらえる練習メニューとなる。
前に押し出すときのボールの方向をよく見てみるとよい。

1 右足の裏をボールにのせて

2 ボールを後ろへ引く

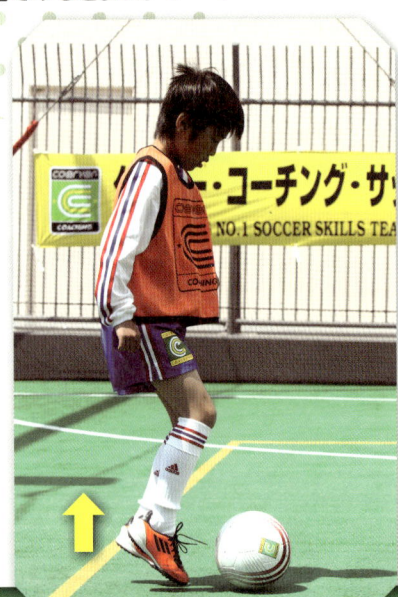

3 軸足はステップを踏んで

ワンランク上の コーチングアドバイス

1、2、3と自分で数を数えながらリズムよくやってみよう。

OK!

ボールをインステップで押し出すときに、前にまっすぐ出せていない。

NG!

048

Pull & push

トレーニング前に確認してみよう

スペース
半径1m以内

動き方
その場で行う

ココに注目!
足首をまっすぐ固定しよう
つま先を地面に向け、インステップ（くつひも部分）にしっかり当てる。

4 引いた足のインステップでボールを前に

5 反対の左足の裏でボールをおさえにいく

6 ボールを止めて、同じ流れをくり返す

チェックシート
～次のステップに進む前に・・・～

☐ 軸足をはねながらリズムよくできている
☐ 目線を上げながらできている
☐ まっすぐ引いて、まっすぐ押し出すことができている

これができると・・・ インステップでボールを蹴る感覚が養われる

Chapter 1 トータップ
Chapter 2 スライド
Chapter 3 プルプッシュ
Chapter 4 カットドリブル
Chapter 5 ボールウォーク

DVD >>> Chapter 3 >>> STEP 2

| U-6 | **U-8** | U-10 |

「ストップ&スタート」の動きを完璧に身につける!

STEP 2 プルプッシュ・インサイド

インサイドキックを正確に行うためのトレーニング。足のどこにあてるかを確認しながら行おう!

1 右足をボールにのせて

2 ボールを後ろへ引いたら

3 同じ足のインサイドでボールを前に押し出す

ワンランク上の コーチングアドバイス

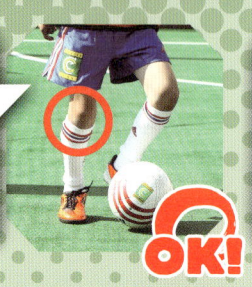

軸足を柔軟に曲げてみよう。そうすれば、すばやい連続した動きをスムーズにできる。

OK!

ボールをインサイドで押し出すときに、前にまっすぐ出せていない。

NG!

050

Pull & push

トレーニング前に確認してみよう

スペース
半径1m以内

動き方
その場で行う

ココに注目!
足首をしっかり固定しよう
つま先を外側に向けて、足首を固定し、インサイドの面をしっかり作る。

4 反対の足の裏でボールを止める

5 今度は左足でボールを引いて

6 同じ足のインサイドでボールを前に押す

チェックシート ～次のステップに進む前に・・・～

- [ ] プルプッシュをするとき、軸足をはねながらリズムよくできている
- [ ] 前に出すボールは、次の動きがスムーズにできる強さで
- [ ] 目線を上げながらできている

これができると・・・ インサイドでボールを蹴る感覚が養われる

| U-6 | **U-8** | U-10 | DVD >>> Chapter 3 >>> STEP 3

アウトサイドの感覚を体に染み込ませよう！

STEP 3 プルプッシュ・アウトサイド

STEP2のメニューを今度はアウトサイドで行ってみよう！
アウトサイドキックの正確性を磨く。

1 右足をボールにのせて

2 ボールを後ろへ引いたらアウトサイドで前へ

ワンランク上の コーチングアドバイス

軸足を柔軟に使うように心がけると、左右の足をすばやく連動させることができる。

OK!

つま先を内側に向けアウトサイドでボールをしっかりとらえることができている。

OK!

COERVER BALL MASTERY
Pull & push

トレーニング前に確認してみよう

スペース
半径1m以内

動き方
その場で行う

ココに注目!
つま先を内側にしっかり固定
アウトサイドにしっかり当てるためにつま先を内側に向ける。

3 反対の足の裏でボールを止める

4 ボールを引いたら同じ足のアウトサイドで前へ

5 逆の足の裏でボールを止める

✓チェックシート ～次のステップに進む前に・・・～

☐ プルプッシュをするとき軸足をはねながらリズムよくできている
☐ 前に出すボールは、次の動きがスムーズにできる強さで
☐ 目線を上げながらできている

これができると・・・ → アウトサイドキックの感覚をつかむことができる

| U-6 | **U-8** | U-10 |　　DVD >>> Chapter 3 >>> STEP 4

STEP 4 敵のボール奪取をV字で切り抜ける！
プルプッシュV・インサイド

ボールを引いて出すときにV字を描くイメージを意識する。
くり返して行うことで感覚をつかむことができる。

1 右足の少し前にあるボールを

2 左足の裏でボールにタッチ

3 そのままボールを左ななめ後ろに引く

4 左足のインサイドでボールを左ななめ前に出す

ワンランク上の コーチングアドバイス

軸足を柔軟に曲げてみよう。そうすれば、すばやい連続した動きをスムーズにできる。

OK!

ボールの上に足をのせたとき体のバランスをくずしてしまっている。

NG!

054

COERVER BALL MASTERY
Pull & push

トレーニング前に確認してみよう

スペース
半径1m以内

動き方
その場で行う

ココに注目!
軸足のひざは柔軟に
ボールの動きに合わせて軸足のひざを曲げ伸ばし、柔軟に使う。

5 右足の裏でボールにタッチ

6 そのままボールを右ななめ後ろに引く

7 右足のインサイドでボールを右ななめ前に出す

8 左足の裏でボールにタッチ

Chapter 1 トータップ
Chapter 2 スライド
Chapter 3 プルプッシュ
Chapter 4 カットドリブル
Chapter 5 ボールウォーク

✓チェックシート 〜次のステップに進む前に・・・〜

☐ プルプッシュをするとき、軸足をはねながらリズムよくできている
☐ 前に出すボールは、次の動きがスムーズにできる強さで
☐ 目線を上げながらできている

これができると・・・ 相手のタックルにも、ボールを引いてかわせる

| U-6 | **U-8** | U-10 |　　　　　DVD >>> Chapter 3 >>> STEP 5

STEP 5
アウトサイドを使ったV字で突破する！
プルプッシュV・アウトサイド

STEP4と同じくV字でボールをコントロールする。
アウトサイドキックを正確に行うためのトレーニング。

1 左足少し前のボールを右足の裏でボールにタッチ

2 そのまま右足の裏でボールを右ななめ後ろに引く

3 右足のアウトサイドでボールを右ななめ前に

ワンランク上の コーチングアドバイス

軸足を柔軟に使うように心がけると、左右の足をすばやく連動させることができる。

OK!

前に出すタッチが強すぎると、反対の足でボールをとらえることができない。

NG!

056

COERVER BALL MASTERY
Pull & push

トレーニング前に確認してみよう

スペース
半径1m以内

動き方
その場で行う

ココに注目!
アウトサイドでV字を描く
つま先を内側に向けて、アウトサイドにしっかり当てる。

4 左足の裏でボールにタッチ

5 そのまま左足の裏でボールを左ななめ後ろに引く

6 左足のアウトサイドでボールを左ななめ前に

7 右足の裏でボールにタッチ

✓チェックシート 〜次のステップに進む前に・・・〜

☐ プルプッシュをするとき軸足をはねながらリズムよくできている
☐ 前に出すボールは、次の動きがスムーズにできる強さで
☐ 目線を上げながらできている

これができると・・・ 相手のタックルにも、ボールを引いてかわせる

Chapter 1 トータップ
Chapter 2 スライド
Chapter 3 プルプッシュ
Chapter 4 カットドリブル
Chapter 5 ボールウォーク

| U-6 | U-8 | **U-10** |　　DVD >>> Chapter 3 >>> STEP 6

STEP 6
インサイドとアウトサイドの華麗なコンビネーション！
プルプッシュV・インサイド＆アウトサイド

右足と左足でボールを前へ出す（プッシュ）とき、
片足はインサイド、反対の足はアウトサイドで行ってみよう！

1 右足の裏をボールにのせて

2 そのままボールを後ろへ引く

3 同じ足のインサイドでボールを右ななめ前に出す

ワンランク上の コーチングアドバイス

ボールを引くときに軸足がしっかりと柔軟に使えているかどうかがポイント。

ボールを押し出すときに右足はインサイド、左足はアウトサイドで行えているか。

OK!

OK!

058

COERVER BALL MASTERY
Pull & push

トレーニング前に確認してみよう

スペース
半径1m以内

動き方
その場で行う

ココに注目!
ボールを当てる部分を意識
右足と左足でボールをタッチする場所が違うので、混乱しないように。

---

4 左足の裏でボールにタッチ

5 ボールを左ななめ後ろへ引いて

6 そのままアウトサイドでボールを前に

チェックシート
~次のステップに進む前に・・・~

- ☐ プルプッシュをするとき軸足をはねながらリズムよくできている
- ☐ 前に出すボールは、次の動きがスムーズにできる強さで
- ☐ 目線を上げながらできている

これができると・・・ 相手のタックルにも、ボールを引いてかわせる

Chapter 1 トータップ
Chapter 2 スライド
Chapter 3 プルプッシュ
Chapter 4 カットドリブル
Chapter 5 ボールウォーク

| U-6 | U-8 | **U-10** |　　　DVD >>> Chapter 3 >>> STEP 7

STEP 7

技を組み合わせで巧みに突破する！

プルプッシュV＆ステップオーバー

プルプッシュVの動きと
ステップオーバーの動きを組み合わせ行ってみよう！

1 右足の裏でボールを右ななめ後ろに引いて

2 右足のアウトサイドでボールを右ななめ前へ出す

3 すぐに左足でステップオーバー

4 ボールをよく見ながら

ワンランク上のコーチングアドバイス

OK! アウトサイドで押し出すボールの強さがよいと、ステップオーバーがスムーズにできる。

NG! アウトサイドで押し出すボールが強すぎると、ステップオーバーができない。

COERVER BALL MASTERY
Pull & push

トレーニング前に確認してみよう

スペース
半径3m以内

動き方
その場で行う

ココに注目!
アウトサイドのタッチは弱めに!
ステップオーバーは、アウトサイドのタッチをあまり強くしない。

5 左足の裏でボールにタッチ

6 左足の裏でボールを左ななめ後ろに引いて

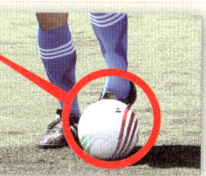

7 左足のアウトサイドでボールを左ななめ前に出す

8 すぐに右足でステップオーバー

✓ チェックシート　〜次のステップに進む前に・・・〜

- ☐ プルプッシュをするとき軸足をはねながらリズムよくできている
- ☐ ステップオーバーの足が低く大きく動いてる
- ☐ ステップオーバーしたあと、すばやくボールを引くことができている

これができると・・・ 相手のタックルにも、巧みに逆をとってかわせる

Chapter 1 トータップ
Chapter 2 スライド
Chapter 3 プルプッシュ
Chapter 4 カットドリブル
Chapter 5 ボールウォーク

| U-6 | U-8 | **U-10** |　　DVD >>> Chapter 3 >>> STEP 8

STEP 8

瞬時の方向転換で敵のタックルをかわす！

片足ビハインド・プルプッシュ

プルプッシュを軸足の後ろで行ってみよう！
まずは片足だけでチャレンジする。

1 右足の裏をボールにのせて

2 軽くはねながらボールを軸足の後ろへ引く

3 右足のインサイドで、ボールを軸足の後ろを通したら

4 軸足で軽くはねながら体を回転させる

ワンランク上の コーチングアドバイス

ボールを軸足の後ろへしっかり引こう！このとき、軸足のひざを棒立ちにしない。

OK!

インサイドで軸足の後ろを通すことができている。

OK!

062

COERVER BALL MASTERY
Pull & push

トレーニング前に確認してみよう

スペース
半径1m以内

動き方
その場で行う

ココに注目!
軸足のひざは柔軟に
軸足で軽くはねながら回転する。両方の足でもできるように。

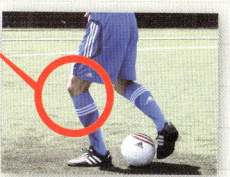

---

5 右足の裏をボールにのせたら、また同じ動きをくり返す

6 軽くはねながらボールを軸足の後ろへ引く

7 右足のインサイドで、ボールを軸足の右側から後ろを通したら

8 軸足で軽くはねながら体を回転させる

チェックシート
~次のステップに進む前に・・・~

☐ プルプッシュをするとき軸足をはねながらリズムよくできている
☐ 前に出すボールは、次の動きがスムーズにできる強さで

これができると・・・
相手がタックルをしてきたとき、ボールを引いて方向を変えることができる

Chapter 1 トータップ
Chapter 2 スライド
Chapter 3 プルプッシュ
Chapter 4 カットドリブル
Chapter 5 ボールウォーク

063

| U-6 | U-8 | **U-10** |　　DVD >>> Chapter 3 >>> STEP 9

ボールを自由自在に引いて敵を手玉にとる！

STEP 9 両足ビハインド・プルプッシュ

何度もくり返して行えるようになれるほど極めたいテクニック。
はじめはゆっくりでもいいから感覚をしっかりつかもう！

1 右足の裏をボールの上にのせる

2 軽くはねながらボールを軸足の後ろへ引く

3 右足のインサイドで、ボールを軸足の後ろを通す

4 ボールをよく見ながら

ワンランク上のコーチングアドバイス

ボールを軸足の後ろへしっかり引こう！このとき、軸足のひざを棒立ちにしない。

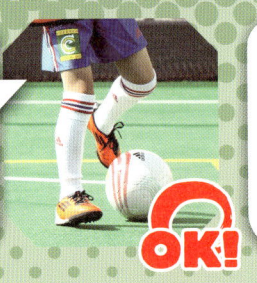

OK!

インサイドでタッチしたら、ボールが軸足に当たってしまう。

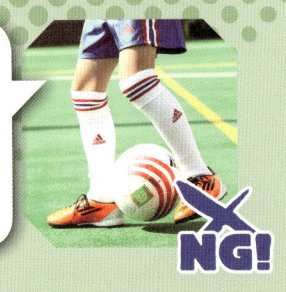

NG!

COERVER **BALL MASTERY**
Pull & push

トレーニング前に確認してみよう

スペース
半径1m以内

動き方
その場で行う

ココに注目!
ボールを引くときは思いきりよく!
ボールを軸足の後ろまでしっかり引くことが重要。

5 左足の裏でボールを止める

6 今度は左足でボールを軸足の後ろへ引く

7 左足のインサイドで、ボールを軸足の後ろを通したら

8 右足の裏でボールを止める

チェックシート　〜次のステップに進む前に・・・〜

- ☐ プルプッシュをするとき軸足をはねながらリズムよくできている
- ☐ 前に出すボールは、次の動きがスムーズにできる強さで

これができると・・・
相手がタックルしてきたとき、ボールを引いてかわし、突破することができる

Chapter 1 トータップ
Chapter 2 スライド
Chapter 3 プルプッシュ
Chapter 4 カットドリブル
Chapter 5 ボールウォーク

065

COLUMN

現場での悩みに答える！

指導者・保護者のための

キッズ指導Q&A

PART3 >>> 個を育てる技術①

Q ボールを持つと敵に囲まれてもなかなかパスをしない子がいます。個を育てる時期だと思って、その子の自由にさせている部分もあるのですが、間違っているでしょうか？

A ご質問の文章の中にヒントがありそうです。「ボールを持つとなかなかパスをしない」とありますが、まず「パスをしない」のか「パスができない」のかを見極めてあげてください。
「しない」のであれば、そこにはプレーヤーの判断が入っています。この場合は、ドリブルでチャレンジできると判断しているからです。ただし、パスの選択肢も覚えさせることで、さらにドリブル突破が有効になることを伝えるのも大切です。
「できない」場合はボールを受ける前、受けた後に周りを見る準備や余裕がないと思われますので、少しプレッシャーを下げたトレーニングの中で判断できる環境をつくり、判断がともなったプレーを身につけるようにしましょう。子どもたちの意外な行動には必ず理由があります。子どもの視点で考えることによって新たな解決策が見つかることも珍しくありません。

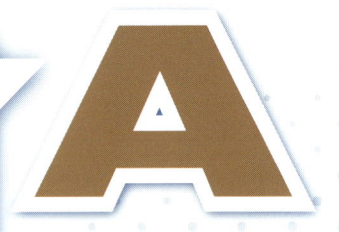

Chapter 4
カットドリブル
ステップワークをマスターする

鋭い切れ味のドリブルが身につくトレーニング。相手DFをうまくほんろうするには、打ってつけのテクニックです。細かいタッチでできるようにしましょう。

STEP 1	片足カットドリブル	P.070
STEP 2	両足カットドリブル	P.072
STEP 3	両足カットドリブル・2タッチ	P.074
STEP 4	両足カットドリブル・イン-アウト	P.076
STEP 5	空中カットドリブル	P.078
STEP 6	両足カットドリブル・イン-イン	P.080
STEP 7	両足カットドリブル・アウト-アウト	P.082
STEP 8	両足カットドリブル&ステップオーバー	P.084
STEP 9	ウィップ	P.086

Chapter 4

カットドリブルとは？

カットドリブルってどんな動き？

　カットとは、体の前を横切らせるようにインサイドとアウトサイドで交互にすばやくボールにタッチしながら進むことを指します。ボールが体の前を横切るようにタッチし、ボールをジグザグに運べていれば正しい動きといえます。このとき、ボールといっしょに少しずつ前へ進みます。

　初めて練習するとボールの後ろ側をタッチしてしまいがちで、ボールは前方ばかりに進んでしまいます。ドリブルにスピードが出すぎてしまった場合は失敗です。そのときはボールの横側をタッチするように心がけましょう。

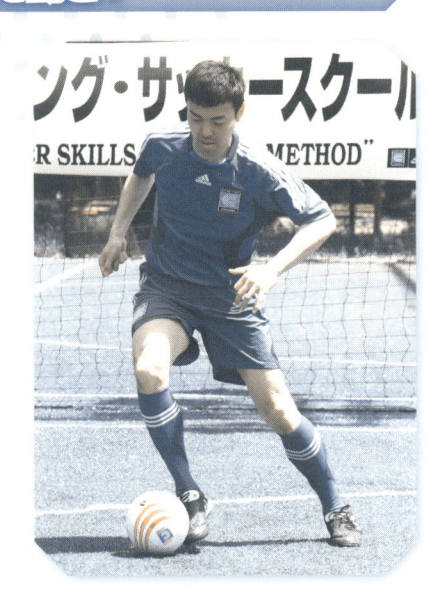

トレーニングのねらいとポイント

1 正確に行うことで、インサイドやアウトサイドでの**ボールタッチの感覚**が向上する

2 両足でボールを触れるトレーニングをくりかえすことで、**両足のキックやボールコントロール**の能力向上につながる

3 **ステップワーク、コーディネーション能力**が養われる。軸足も同時にステップすることが重要。

Cut

ボールを動かしてのトレーニング。
ドリブル上達のヒントが、この項にたくさん詰まっています。

カットドリブルの上達でどういう技術が身につく?

　カットはインサイドやアウトサイドのボールタッチの感覚をいかに身につけるかで、ボールコントロールの正確さが変わってきます。このエクササイズの練習をするときは、最初のうちは「1、2、3」とタイミングを数えながらやってみることをお勧めします。そして、ボールタッチの強弱をつねに意識しながらその感覚を覚えるようにしましょう。

　小気味良いリズムでジグザグにボールを動かせるようになれば、試合中に巧みなボールタッチで敵を置き去りにすることもできるでしょう。

　このカットドリブルを極めた選手といえば、ポルトガル代表のクリスチャーノ・ロナウドです。華麗なステップで相手陣地を切り裂く、あの鋭いドリブルこそ、カットドリブルを究極に発展させた足技なのです。

モデルプレイヤー

Photo by Getty Images

Cristiano Ronaldo

クリスチャーノ・ロナウド
（ポルトガル）

観衆を魅了する足技でサイドを切り裂く、世界最高峰のアタッカー。巧みなボールタッチから数多のフェイントを繰り出す。スピードに乗せると誰も手をつけられない突破力を誇る。

| U-6 | U-8 | U-10 |

DVD >>> Chapter 4 >>> STEP 1

STEP 1
アウトサイドとインサイドの華麗なステップ
片足カットドリブル

インサイドやアウトサイドで交互にすばやくボールタッチして、感覚をつかもう。

1 右足のアウトサイドでカット

2 すぐに同じ足のインサイドでカット

ワンランク上の コーチングアドバイス

ボールが体の目の前を横切るようにカットしよう。そのためには、軸足のステップをスムーズに。

うまくボールの横をカットすることができている。

OK! OK!

070

COERVER BALL MASTERY
Cut

トレーニング前に確認してみよう

スペース
たて15m×よこ2m

動き方
少しずつ前へ進みながら行う

ココに注目！
あわてずに少しずつ前に進もう

前に進むときは、急がずゆっくり。そうすればたくさんタッチできる。

3 再び右足のアウトサイドでカット

4 すぐに同じ足のインサイドでカット

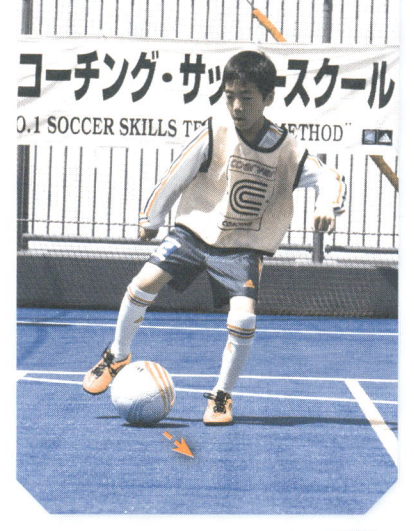

チェックシート 〜次のステップに進む前に・・・〜

- ☐ ボールが横方向に転がり、前方に少しずつ進めている
- ☐ ボールの移動に合わせて、軸足もスムーズに運べている
- ☐ リズムよくステップを踏みながらできている

これができると・・・ ➔ ボールを自由にあつかいドリブルで相手をほんろうできる

Chapter 1 トータップ
Chapter 2 スライド
Chapter 3 プルプッシュ
Chapter 4 カットドリブル
Chapter 5 ボールウォーク

071

| U-6 | U-8 | U-10 |　　　DVD >>> Chapter 4 >>> STEP 2

STEP 2 両足を使った細かいドリブルを身につけろ！
両足カットドリブル

両足でカットドリブルを行ってみよう！
これも右足と左足の協力が必要になってくる！

1 左足のアウトサイドでカット

2 同じ足のインサイドでカット

ワンランク上の コーチングアドバイス

軸足もボールの動きに合わせて軽やかにステップできている！

OK!

インサイドでカットした後、すぐに反対の足のアウトサイドでカットができている

OK!

072

Cut

トレーニング前に確認してみよう

スペース
たて15m×よこ3m

動き方
少しずつ前へ
進みながら行う

ココに注目！
軽快なステップを踏もう
インサイドから反対足のアウトサイドへと、この流れをスムーズに行う。

3 すかさず右足のアウトサイドでカット

4 同じ足のインサイドでカット

✓チェックシート ～次のステップに進む前に・・・～

☐ ボールが体の目の前を動いている
☐ 目線を上げながらできている
☐ リズムよくステップを踏みながらできている

これができると・・・ → 細かいタッチのドリブルで相手をうまくかわせるようになる

Chapter 1 トータップ
Chapter 2 スライド
Chapter 3 プルプッシュ
Chapter 4 カットドリブル
Chapter 5 ボールウォーク

073

| U-6 | **U-8** | U-10 |　　　DVD >>> Chapter 4 >>> STEP 3

STEP 3 細かいタッチから一瞬で逆を突く！
両足カットドリブル・2タッチ

うまく連続でタッチすることが求められるメニュー。
インサイドとアウトサイドともにすばやく行おう。

1 左足のアウトサイドで1回目のカット

2 すかさず左足のアウトサイドで2回目のカット

3 左足のインサイドで内側にカット

ワンランク上の コーチングアドバイス

スキップのリズムのようにスムーズにやってみよう！ **OK!**

ボールを強くカットしすぎず、次のタッチがスムーズにできている。 **OK!**

COERVER BALL MASTERY
Cut

トレーニング前に確認してみよう

スペース
たて 15m ×よこ 5m

動き方
少しずつ前へ進みながら行う

ココに注目!
タッチの力加減は慎重に
うまく行うポイントは、ボールをやさしくタッチすること。

4 続けて左足インサイドで2回目のカット

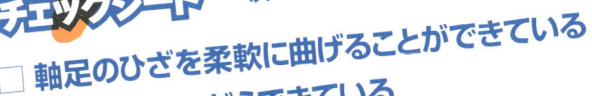

5 右足のアウトサイドで1回目のカット

6 右足のアウトサイドで2回目のカット

チェックシート 〜次のステップに進む前に・・・〜

- ☐ 軸足のひざを柔軟に曲げることができている
- ☐ 目線を上げながらできている
- ☐ リズムよくステップを踏みながらできている

これができると・・・ 細かいタッチのドリブルで相手をかわせるようになる

Chapter 1 トータップ
Chapter 2 スライド
Chapter 3 プルプッシュ
Chapter 4 カットドリブル
Chapter 5 ボールウォーク

| U-6 | **U-8** | U-10 |　　　DVD >>> Chapter 4 >>> STEP 4

STEP 4 両足カットドリブル・イン・アウト
アウトからインへの巧みなボールタッチ

両足でカットドリブルを行ってみよう！
これも右足と左足の協力が必要になってくる。

1 右足のインサイドでカット

2 同じ足のアウトサイドでカット

ワンランク上の コーチングアドバイス

アウトサイドから反対の足のインサイドのカットはやや難しい。この動きをスムーズに！

インサイドでタッチのあと、軸足を大きく外へ踏み込むと次のアウトサイドタッチがしやすくなる。

OK！　　　OK！

Cut

トレーニング前に確認してみよう

スペース
たて15m×よこ5m

動き方
少しずつ前へ進みながら行う

ココに注目！
足の踏み込みをダイナミックに！
アウトサイドでボールをカットしたら、その足を大きく外側へ踏み込む。

3 すかさず左足のインサイドでカット

4 同じ足のアウトサイドでカット

Chapter 1 トータップ
Chapter 2 スライド
Chapter 3 プルプッシュ
Chapter 4 カットドリブル
Chapter 5 ボールウォーク

チェックシート 〜次のステップに進む前に・・・〜

☐ 軸足のひざを柔軟に曲げることができている
☐ 目線を上げながらできている
☐ リズムよくステップを踏みながらできている

これができると・・・ 細かいタッチのドリブルで相手をかわせるようになる

077

| U-6 | U-8 | U-10 |　　DVD >>> Chapter 4 >>> STEP 5

STEP 5 片足のリズミカルな三連打タッチ！
空中カットドリブル

ボールを運ぶ足をしばらく空中に浮かせたままの状態で行う練習メニュー。少し難易度の高い技術になる。

1 右足は地面につけずに右足のインサイドでカット

2 軸足を軽くはねながら同じ足でアウトサイドカット

ワンランク上の コーチングアドバイス

ボールを強くカットしすぎて次のタッチができない。

NG!

軸足でうまくバランスをとることができず、体勢をくずしている。

NG!

078

Cut

トレーニング前に確認してみよう

スペース
たて15m ×よこ3m

動き方
少しずつ前へ
進みながら行う

ココに注目!
足は浮かせたまま
カット!
軸足はリズム良く、軽くはねながら体のバランスをとること。

3 軸足を軽くはねながらすぐにインサイドカット

4 ボールを逆の足のインサイドでカット

チェックシート ～次のステップに進む前に・・・～

- ☐ ボールの移動に合わせて、軸足を運ぶことができている
- ☐ 目線をあげながらできている
- ☐ 地面に足をつけずにボールをタッチできている

これができると・・・ ドリブルにリズム感が生まれ相手をほんろうできるようになる

Chapter 1 トータップ
Chapter 2 スライド
Chapter 3 プルプッシュ
Chapter 4 カットドリブル
Chapter 5 ボールウォーク

| U-6 | U-8 | **U-10** |　　DVD >>> Chapter 4 >>> STEP 6

STEP 6
華麗なインサイドでのドリブル突破!
両足カットドリブル・イン・イン

連続インサイドタッチを使いこなしてカットドリブルを行ってみよう!
これも右足と左足の協力が必要になってくるメニュー。

1 右足のインサイドでななめ前にボールを出す

2 同じ足のインサイドでカット

ワンランク上の コーチングアドバイス

インサイド→反対足のインサイド……この動きが最大のポイントだ。

ななめ前に出すボールがソフトにタッチできている。

OK!　**OK!**

080

COERVER BALL MASTERY
Cut

トレーニング前に確認してみよう

スペース
たて15m×よこ3m

動き方
少しずつ前へ
進みながら行う

ココに注目!
つま先を外側に
固定しよう

ボールを前に出すとき
つま先を外側に向けて、
足首を固定する。

3 すかさず左足のインサイドでななめ前にボールを出す

4 同じ足のインサイドでカット

チェックシート　〜次のステップに進む前に・・・〜

- ☐ 1回のカットでボールの進む方向を変えることができている
- ☐ 目線をあげながらできている
- ☐ 反対の足のインサイドでカットしやすいところに運べている

これができると・・・ うまくボールをキープしながらターンすることができるようになる

Chapter 1 トータップ
Chapter 2 スライド
Chapter 3 プルプッシュ
Chapter 4 カットドリブル
Chapter 5 ボールウォーク

| U-6 | U-8 | **U-10** |　　　DVD >>> Chapter 4 >>> STEP 7

巧みなアウトサイドでのドリブル突破！

STEP 7 両足カットドリブル・アウト・アウト

両足を使ったカットドリブルを行ってみよう！
アウトサイドを連続させるにはどんな動きが必要なのか？

1 右足のアウトサイドでカット

2 同じ足のアウトサイドでさらにカット

3 右足をボールの進行方向に大きく踏み込んで

ワンランク上の コーチングアドバイス

アウトサイド→反対の足のアウトサイド……この動きが最大のポイントだ。

アウトサイドで2回カットした後、その足を大きく踏み込むことができる

OK!

082

Cut

トレーニング前に確認してみよう

スペース
たて15m ×よこ5m

動き方
少しずつ前へ進みながら行う

ココに注目!
足を大きく踏み込んで!
足を外側へ大きく踏み込んで、反対の足でカットする。

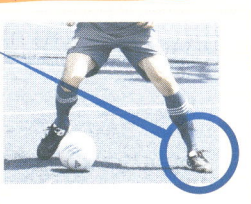

4 すぐに左足のアウトサイドで反対方向へカット

5 同じ足のアウトサイドでさらにカット

6 左足をボールの進行方向に大きく踏み込む

チェックシート 〜次のステップに進む前に・・・〜

☐ カットするとき軸足を外側へ大きく踏み込むことができている

☐ 目線を上げながらできている

これができると・・・ 細かいタッチのドリブルで相手をかわせるようになる

Chapter 1 トータップ
Chapter 2 スライド
Chapter 3 プルプッシュ
Chapter 4 カットドリブル
Chapter 5 ボールウォーク

| U-6 | U-8 | **U-10** |　　DVD >>> Chapter 4 >>> STEP 8

鮮やかなステップオーバーで敵をあざむけ！

STEP 8 両足カットドリブル＆ステップオーバー

カットドリブルとステップオーバーを組み合わせたメニュー。ステップオーバーで相手にフェイントをかけることができる。

1 右足のアウトサイドでカット

2 同じ足のインサイドでカット

3 左足でステップオーバー

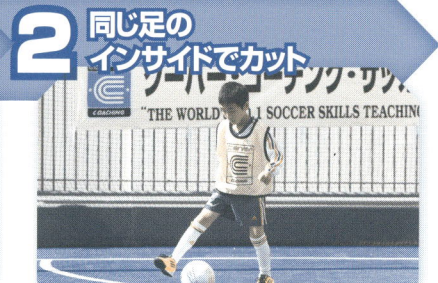

4 ボールをまたいだらすぐに

ワンランク上の コーチングアドバイス

「低く！」「大きく！」が、正しいステップオーバーのやり方。ボールをまたぐ足のスピードが大切。

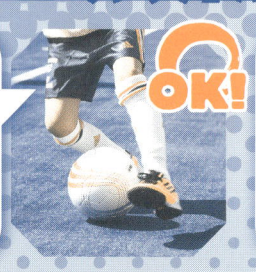

OK!

ステップオーバーの動きが正しくないと、ボールタッチにリズムが生まれない。

NG!

COERVER BALL MASTERY — Cut

トレーニング前に確認してみよう

スペース
たて15m ×よこ3m

動き方
少しずつ前へ
進みながら行う

ココに注目！
ボールだけを見ないように
複雑な動きをスムーズに行いながら、たまに目線を上げることを意識。

---

5 左足のアウトサイドでカット

6 左足のインサイドでカット

7 すかさず右足でステップオーバー

8 またいだら右足のアウトサイドでカット

チェックシート 〜次のステップに進む前に・・・〜

☐ ステップオーバーする足は低くできている
☐ カットした足を軸足にして、すぐにステップオーバーできている
☐ 目線を上げながらできている

これができると・・・ 細かいタッチとフェイントで相手をあざむくことができる

Chapter 1 トータップ
Chapter 2 スライド
Chapter 3 プルプッシュ
Chapter 4 カットドリブル
Chapter 5 ボールウォーク

| U-6 | U-8 | **U-10** |　　　DVD >>> Chapter 4 >>> STEP 9

STEP 9 ウィップ
ボールが足にくっつくような巧みなタッチ！

ウィップとは「むち」を意味する言葉。
足首をむちのようにしならせて行うボールタッチとなる。

1 右足のアウトサイドで外にボールを押し出す

2 ボールをなめるようにつま先をすべらせてから

3 右足インサイドでカット

ワンランク上の コーチングアドバイス

足首を柔軟に使って、地面に足をつけずにできるように練習しよう！

OK!

アウトサイドのタッチが強すぎると、次のインサイドタッチができない。

NG!

COERVER **BALL MASTERY**
Cut

トレーニング前に確認してみよう

スペース
たて15m×よこ3m

動き方
少しずつ前へ
進みながら行う

ココに注目!
足でボールの側面をなめる
連続でボールタッチしている間、地面に足をつけない。

4 左足のアウトサイドで外側にボールを押し出す

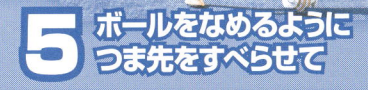

5 ボールをなめるようにつま先をすべらせて

6 左足のインサイドでカット

Chapter 1 トータップ
Chapter 2 スライド
Chapter 3 プルプッシュ
Chapter 4 カットドリブル
Chapter 5 ボールウォーク

チェックシート　～次のステップに進む前に・・・～

☐ 足首を柔軟に使って、「アウトサイド→インサイド」のカットを連続でできるようになる

☐ 目線を上げながらできている

これができると・・・ ドリブルで相手をほんろうできるプレーヤーになれる!

087

COLUMN

現場での悩みに答える！
指導者・保護者のための

キッズ指導Q&A

PART4 >>> 個を育てる技術②

Q 息子がボールを遠くに飛ばそうとすると、ボールに変な回転がかかってしまうと悩んでいるようです。まっすぐ飛ばすコツがあったりするのでしょうか？

A ボールを遠くに飛ばそうとして、どんなに思いっきり力を込めても、正しいスイングができなければ、きれいな軌道のボールは蹴れません。まずはリラックス。そして体全体を使ったしなやかなフォームでスイング。蹴る瞬間に足首に力を入れて固定し、ボールをよく見て確実にボールをミートポイントでとらえる。この流れを実践させてみてください。トッププレーヤーでもそれぞれの蹴り方をしています。正解はありません。しかし共通することがあります。ボールをミートポイントで確実にとらえているということです。キックに変な回転がかかってしまうのは、しっかりミートできていないからだと考えられます。強いシュート、遠くに飛ばせるキックに子どもたちは憧れます。力強いキックができれば、選択肢が増え、プレーの幅が広がります。キック技術の向上には、反復トレーニングが欠かせません。何か目標物を決めて、くり返しボールを飛ばすトレーニングなど、工夫をしてみてはいかがでしょうか。

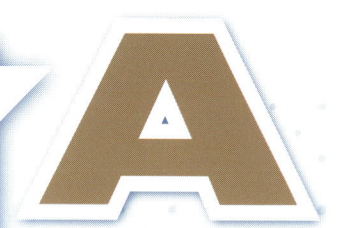

Chapter 5
ボールウォーク
バランス感覚とリズム感を養う

最後のメニューはボールウォーク。コーディネーション能力も鍛えられる動きです。サッカーに求められる感覚が、この章にはたくさん詰まっています。

STEP 1	ボールウォーク	P.092
STEP 2	リズムボールウォーク	P.094
STEP 3	ボールウォーク・フォア	P.096
STEP 4	ボールウォーク・バック	P.098
STEP 5	ビハインド・ボールウォーク	P.100
STEP 6	Uターンドリブル	P.102

Chapter 5

ボールウォーク とは?

ボールウォークってどんな動き?

　ボールウォークとは、ボールを足の裏で引っかくようにして、反対の足の方へタッチする動きのことを指します。①ボールを引っかくように反対の足の方へ動かす②反対の足の裏でタッチする、これを「1、2」と数えながらリズミカルに行いましょう。ボールにタッチした後、ひざを軽く上に突き上げると、両足のステップがスムーズに進みます。
　ボールウォークがうまくできるようになると、Uターンという1対1の方向転換の動きが上達します。すると相手のプレッシャーをうまく避けてドリブルで突破できるようになります。

トレーニングのねらいとポイント

1 足の裏でのボールタッチの感覚をつかみ、リズム良くコントロールできる能力を養う。

2 つねに両足でボールを触れるトレーニングなので、両足のキックやボールタッチの能力向上につながる

3 ステップワーク、コーディネーション能力が養われる。体を上手く使って、バランスをとりながら行う

Ball Walk

Chapter5で紹介するのはボールウォーク。
リズムよく行い、ボールに触れる感覚をつかんでみましょう。

ボールウォークの上達でどういう技術が身につく?

　ボールウォークを身につけると、試合中、相手からタックルを受けたとき、足の裏でボールを切り返してかわす動きが自然とできるようになります。また、クーバー・コーチングの1対1の攻撃のテクニックとなる「Uターン」「フックターン」などの上達にもつながるでしょう。
　これらのテクニックをうまく使いこなす選手といえば、ガンバ大阪の宇佐美貴史選手があげられます。キレのあるボールタッチやターンで自らスペースをつくり、スピードに乗ってドリブル突破をします。ぜひ参考にして技の習得に励みましょう。

モデルプレイヤー

Takashi Usami

Photo by Getty Images

宇佐美貴史
(ガンバ大阪)

これからの日本サッカーを背負う若き至宝。鋭い突破力と高い決定力が最大の武器。狭いスペースでも巧みなボールタッチで相手を置き去りにし、一瞬でゴールを陥れる。

| U-6 | U-8 | U-10 |　　　DVD >>> Chapter 5 >>> STEP 1

STEP 1 足の裏を使ったコントロールの「基本型」
ボールウオーク

ボールを足の裏で引っかくようにしてコントロールする動き。
STEP1は基本となるのでゆっくりその場で正確に行えるようにしよう。

1 右足の裏をボールにのせて

2 ひっかくように左足へボールを動かす

ワンランク上の コーチングアドバイス

足の裏でボールを動かした後、ひざを高く上げるとステップの運びがうまくいくぞ。 **OK!**

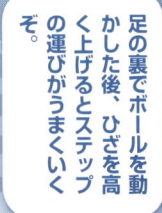

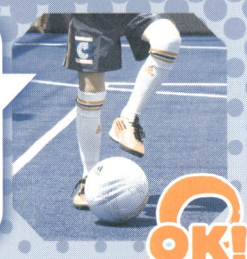

ボールを動かすときに、スラップと同じように足が交差している。 **NG!**

092

COERVER BALL MASTERY
Ball Walk

トレーニング前に確認してみよう

スペース
半径1m以内

動き方
その場で行う

ココに注目!
引っかいた後の
ひざは高く

ボールの上を足の裏で引っかくように反対の足の方へボールを動かす。

3 左足の裏でボールをタッチ

4 ひっかくように右足へボールを動かす

チェックシート 〜次のステップに進む前に・・・〜

☐ 足の裏でボールを動かした後、ひざを高く上げることができている

☐ 目線を上げながらできている

これができると・・・ ▶ 足の裏でボールを動かすのがうまくなる

Chapter 1 トータップ
Chapter 2 スライド
Chapter 3 プルプッシュ
Chapter 4 カットドリブル
Chapter 5 ボールウオーク

093

| U-6 | U-8 | U-10 |　　　DVD >>> Chapter 5 >>> STEP 2

STEP 2 リズムボールウォーク
飛びはねるような動きでリズミカルに！

STEP1のボールウォークにリズムをつけて行えるようになるための練習メニュー。

1 左足の裏をボールにのせて

2 軸足（右足）で軽くはねながら左足でボールを動かす

ワンランク上の コーチングアドバイス

足の裏でしっかりボールをとらえて反対の足へ動かせていればOK。

ボールを引っかくのと同時に、軸足は軽くはね上がり、リズムよく行う。

COERVER BALL MASTERY
Ball Walk

トレーニング前に確認してみよう

スペース
半径1m以内

動き方
その場で行う

ココに注目!
軽く飛びはねる
イメージで!
足の裏でボールをタッチするのと同時に軸足は軽くはねながら行う。

3 右足の裏で
ボールをタッチ

4 軸足（左足）で軽くはねな
がら右足でボールを動かす

チェックシート 〜次のステップに進む前に・・・〜

☐ 胸を張り、姿勢よくできている
☐ ボールを動かすとき、軸足を軽くはねながらできている
☐ 目線を上げながらできている

これができると・・・ 足の裏でボールを
動かすのがうまくなる

Chapter 1 トータップ
Chapter 2 スライド
Chapter 3 プルプッシュ
Chapter 4 カットドリブル
Chapter 5 ボールウォーク

095

| U-6 | U-8 | U-10 |　　DVD >>> Chapter 5 >>> STEP 3

足の裏を使いながら前に進もう！

STEP 3 ボールウォーク・フォア

軽やかに飛びはねるイメージの動き。
少しずつ前に進みながらボールウォークを行う。

1 右足の裏をボールにのせて

2 軸足（左足）で軽くはねながら右足でボールを動かす

ワンランク上の コーチングアドバイス

ボールを動かした足を前にステップする意識を持とう。そうすればゆっくり前進できる。

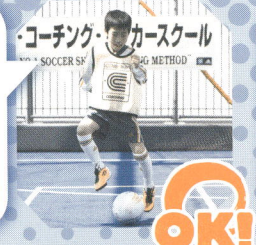

姿勢よく行うことができていて、さらに目線も上がっている状態がよい。

OK!　　OK!

096

COERVER BALL MASTERY
Ball Walk

トレーニング前に確認してみよう

スペース
たて15m×よこ2m

動き方
少しずつ前へ
進みながら行う

ココに注目！
ひざを突き上げてステップ
足の裏でタッチした後、ひざを軽く突き上げることをイメージして行う。

3 右足タッチのあと足を前にステップすると体が前に進む

4 軸足（右足）で軽くはねながら左足でボールを動かす

チェックシート 〜次のステップに進む前に・・・〜

- □ 胸をはり、姿勢よくできている
- □ ボールを動かすとき、軸足を軽くはねながらできている
- □ 目線を上げながらできている

これができると・・・ 足の裏を使って相手のタックルをすばやくかわせる

Chapter 1 トータップ
Chapter 2 スライド
Chapter 3 プルプッシュ
Chapter 4 カットドリブル
Chapter 5 ボールウォーク

| U-6 | U-8 | U-10 |　　　DVD >>> Chapter 5 >>> STEP 4

足の裏を使いながら後ろに進もう！

STEP 4 ボールウォーク・バック

STEP3のボールウォーク・フォアを後ろに進むバージョンの練習メニュー。周囲の状況をよく確認できるように。

1 右足の裏をボールにのせて

2 左足へボールを動かす

ワンランク上の コーチングアドバイス

ボールを動かした足を後ろにステップする意識を持とう。そうすればゆっくり後ろに進める。 **OK!**

ときどき進行方向である後ろを確認できているかどうか。 **OK!**

COERVER BALL MASTERY
Ball Walk

トレーニング前に確認してみよう

スペース
たて 15m ×よこ 2m

動き方
少しずつ後ろへ進みながら行う

ココに注目!
下がりながらのステップに注意! 足の裏でボールをタッチしながら、ひざを軽く上げて後ろに下がる。

3 同時に右足を後ろにステップすると体が後ろに進む

4 軸足（右足）で軽くはねながら右足へボールを動かす

チェックシート 〜次のステップに進む前に・・・〜

- ☐ ときどき首をふって後ろを確認できている
- ☐ ボールを動かすとき、軸足を軽くはねながらできている
- ☐ 目線を上げながらできている

これができると・・・ 細かいタッチで相手との間合いをつくることができる

Chapter 1 トータップ
Chapter 2 スライド
Chapter 3 プルプッシュ
Chapter 4 カットドリブル
Chapter 5 ボールウォーク

| U-6 | U-8 | **U-10** |　　　DVD >>> Chapter 5 >>> STEP 5

STEP 5　体の背後にボールを通して巧みにコントロール
ビハインド・ボールウォーク

相手がタックルを仕掛けてきてもうまくかわせるテクニック。
軸足の後ろでボールウォークを行ってみよう!

1 右足の裏をボールにのせて

2 ボールを軸足(左足)の後ろ側へ動かす

3 ボールが左足の後ろ側を通過したら

4 すばやくステップして左足の裏でボールにタッチ

ワンランク上の コーチングアドバイス

NG! 引っかくタッチが強すぎて、反対の足でボールをとらえることができない。

NG! ボールをしっかり見ようとするあまり上半身が前屈みになりすぎてしまい、目線が下がっている。

COERVER BALL MASTERY
Ball Walk

トレーニング前に確認してみよう

スペース
半径1m以内

動き方
その場で行う

ココに注目!
軸足をやわらかく使えるように
軸足のひざを柔軟に曲げ伸ばしし、軸足の後ろ側でボールをタッチ。

5 左足の裏をボールにのせて

6 今度はボールを軸足(右足)の後ろ側へ動かす

7 ボールが右足の後ろ側を通過したら

8 すばやくステップし右足の裏でボールにタッチ

チェックシート
〜次のステップに進む前に・・・〜

☐ ボールを動かすとき、軸足を軽くはねながらできている
☐ 目線を上げながらできている

これができると・・・ 相手から強力なタックルを受けてもうまくかわすことができる

Chapter 1 トータップ
Chapter 2 スライド
Chapter 3 プルプッシュ
Chapter 4 カットドリブル
Chapter 5 ボールウォーク

101

| U-6 | U-8 | **U-10** |

DVD >>> Chapter 5 >>> STEP 6

STEP 6 鮮やかなUターンをマスターしよう！
Uターンドリブル

片足はボールウォーク、もう一方の足はインサイドでタッチ、これをくり返そう。カットドリブルと同じ要領で行う。

1 右方向にボールを運んだら

2 右足の裏をボールにのせて

3 足の裏でひっかくように左足へボールを動かす

4 同時に体も反対側へ方向転換する

ワンランク上の コーチングアドバイス

足の裏のボールコントロールがうまくいけば、反対の足のインサイドのタッチがスムーズにいく。

OK!

ボールを引くと同時に、軸足を使って鋭く方向転換できている。

OK!

COERVER BALL MASTERY
Ball Walk

トレーニング前に確認してみよう

スペース
たて 15m ×よこ3m

動き方
少しずつ前へ
進みながら行う

ココに注目!
軸足を中心に
鋭く方向転換

ボールを引っかくように
タッチし、鋭く方向を変える。

5 左足のインサイドでボールを左ななめ前に出す

6 左足の裏をボールにのせて

7 左足の裏でひっかくように右足へボールを動かす

8 右足のインサイドでボールを右ななめ前に出す

チェックシート 〜次のステップに進む前に・・・〜

☐ ボールを動かすとき、同時に軸足もボールを動かす方向へ回転させることができている

☐ 目線を上げながらできている

これができると・・・ 相手のタックルをかわしスペースをつくることができる

Chapter 1 トータップ
Chapter 2 スライド
Chapter 3 プルプッシュ
Chapter 4 カットドリブル
Chapter 5 ボールウォーク

おわりに

　キッズのためのトレーニングメニュー集、クーバー・コーチング「ボールマスタリー34」、いかがでしたでしょうか。
　これらの技術練習は効率よく行えば「やり過ぎる」ということはありません。サッカーはテクニカルなゲームなので、絶えず個人技を向上させなければなりません。選手が技術を発揮できれば、自ずとチーム力も向上するのです。
　練習で身につけた技術を効果的に使うためには、考えるスピード（判断力）も速くする必要があります。これは3対3や4対4などのミニゲームで養うことができます。練習ではつねに試合を意識して、これらのミニゲームをたくさん行うようにしましょう。
　またプレーに対する自信が、優れた選手と、そうでない選手をわける場合があります。トレーニング中に、うまくなっていることを実感し、成功体験をたくさん積むことで自信が生まれます。試合はもちろん、練習から常に全力を出し切りましょう。
　クーバー・コーチングは、27年間にわたり、スター選手のプレーをモデルに指導してきました。「あの選手のマネをしたい」という気持ちがとても大切です。たとえば、1対1のトレーニングをするときにメッシのドリブルをイメージするなど、好きな選手の動きをマネすることが上達への近道となります。
　そして、つねに笑顔を忘れないこと。一流の選手たちも、子どもの頃に「サッカーは楽しい！」と感じてのめり込み、どんどんうまくなっていったのです。本書を参考にして技術を身につけたら、練習でも試合でも、いつでもサッカーを楽しみながらプレーすることを心がけましょう！

撮影地

八王子富士森公園クーバー・フットボールパーク

クーバー・フットボールパーク横浜ゆめが丘

クーバー・フットボールパーク 港南台バーズ

撮影協力

横浜ゆめが丘校
スクールマスター
田辺　竜太

港南台バーズ校
スクールマスター
中村　健太

ルミネ立川校
スクールマスター
兼高　広道

ルミネ立川校
サブマスター
小野　秀和

(※2011年6月現在)

スクール生の
みなさん
(左から)
田端　隼くん
三橋　世奈くん
早狩　夏葉さん

[クーバー・コーチング　書籍・DVD紹介]

さらに深くクーバー・コーチングの指導法に触れたい指導者や
さらにテクニックのバリエーションを
増やしたい指導者には――

ジュニアサッカー クーバー・コーチング
キッズのプレーレベルアップメニュー集
シュート技術まで習得できるボールマスタリー

著者：クーバー・コーチング・ジャパン　[全メニューを動画で確認！各ページのQRにアクセス！]
定価：1,760円（税込）
SIBN：9784862555694

フィニッシュへつなげるための、ボールマスタリーを紹介！

日本トップクラスの会員数を誇るサッカースクールであり、世界で認められている育成メソッド「クーバー・コーチング」を自宅で一人で実践できる！自主的に短時間でできる練習メニューを収録。

ボールタッチからフィニッシュまで基本スキルが圧倒的に伸びる！

キック・シュートがうまくなるために必要な基本スキルを身につけよう！

どんなにいいシュートを打っても、ゴールが決まらなければ得点にはなりません。
正確なシュート、フィニッシュへつなげるためには、どんな要素が必要なのか。
反復トレーニングでつかんでいきましょう。

[クーバー・コーチングのボールマスタリーとは]

ボールマスタリーはボールを自在にあやつる能力を身につけるためのトレーニングのことです。

このトレーニングを継続して行うことでボールをタッチするときの感覚（ボールフィーリング）が身につきます。

カンゼン WEB SHOP
https://kanzenshop.stores.jp/
にて絶賛発売中！

**ジュニアサッカークーバー・コーチング
キッズの一人でできる練習メニュー集
ボールマスタリー 45**

世界No.1育成メソッドと呼ばれる「クーバー・コーチング」のキッズ向けトレーニング集第2弾。"自宅で""一人で"できる45の練習メニューを紹介。

著者：アルフレッド・ガルスティアン
　　　チャーリー・クック
定価：1,600円（＋税）
ISBN：978-4-86255-289-1

**クーバー・コーチング サッカー
365日使える！小・中学生のチーム練習ドリル100**

キッズからジュニア、ジュニアユース年代まで使える100種類の練習メニューを紹介!!　計画的練習メニューで1日のトレーニングの組み立て方がわかる!!

著者：アルフレッド・ガルスティアン
　　　チャーリー・クック
定価：2,300円（＋税）
ISBN：978-4-86255-116-0

ジュニアサッカークーバー・コーチング
キッズのスキルアップ練習メニュー集
1対1に勝つためのテクニック上達バイブル

1対1に負けないスキルを身につけたいジュニアプレーヤー必読書！世界各国で認められている育成メソッド「クーバー・コーチング」シリーズ最新刊。

著者：クーバー・コーチング・ジャパン
定価：1,760円（税込）
ISBN：9784862554543

ジュニアサッカー
クーバー・コーチングバイブル
1対1に強くなるトレーニング

親子でできる！
チームトレーニングにも活かせる！

世界No.1と称されるクーバー・コーチングの技術を確実に身につけるためのトレーニングを指導者、選手の視点でわかりやすく、かつ詳細に解説。
本書を読めば、チームの指導者はもちろん、保護者の方も適切なアドバイスをすることが可能です。

監修：アルフレッド・ガルスティアン
定価：1,760円（税込）
ISBN：9784862550392

[カンゼンのスポーツ書籍案内]

しくじり審判
失敗から学ぶサッカー審判の教科書

著者：小幡真一郎
定価：1,870円（税込）
ISBN：9784862556172

■ Jリーグ草創期を知る
　サッカー審判たちの奮闘記

先人たちが犯した"ミス"を知ることで審判としての実技レベルが向上することをコンセプトとしたこれまでになかったサッカー審判の教科書です。

勝利と育成を両立させる新時代の
サッカーコーチングマニュアル

著者：倉本和昌
定価：1,980円（税込）
ISBN：9784862555991

■ サッカーコーチのための
　サッカー指導マニュアル決定版

著者自身のスペインやJリーグのサッカークラブでの指導経験やノウハウ、心理学、組織マネジメント理論等をミックスさせたメソッドをあますことなく公開。

8人制サッカーの教科書

著者：内藤清志
定価：2,200円（税込）
ISBN：9784862555953

■ U-12年代の
　サッカー指導者必読！

11人制で活躍する選手を育成するには、"サッカーの本質"を理解することが重要です。ジュニア年代のコーチに必要な知識を網羅したこれまでになかった「8人制」の指導書。

サッカープレーモデルの教科書
個を育て、チームを強くするフレームワークの作り方

著者：濱吉正則
定価：2,090円（税込）
ISBN：9784862555731

■ プレーモデル作成の
　"掟"を伝授！

欧州のプロリーグで監督経験を持つ唯一の日本人指導者である濱吉正則氏が自らの指導理論を開示。グラスルーツの指導者にこそ読んでほしいプレーモデルの概念を理解できる一冊。

109

ジュニアサッカープレーヤータイプ別
診断トレーニング
目標を考えて実践する力をつける自主トレノート

著者：シュタルフ悠紀
定価：1,650円（税込）
ISBN：9784862555823

■ 自律心と想像力を養う
　サッカーノート

自分のタイプを知り、目標を設定し、夢を叶えるために必要な練習を自分で考えることができるようになる。

ジュニアサッカー 世界一わかりやすい
ポジションの授業

画：戸田邦和
監修：西部謙司
定価：1,430円（税込）
ISBN：9784862554444

■ サッカーのポジションごとの役割、
　どこまで知っている？

マンガで読むからオトナも子どももわかりやすく、サッカーに必要なポジションの役割を理解できる！

サッカーテクニックまんが
Dr.ヒデのサッカー戦術スクール

画：戸田邦和
監修：清水英斗
定価：1,320円（税込）
ISBN：9784862552822

■ 世界のサッカー戦術を
　わかりやすく解説！

香川、イニエスタ、メッシ、ルーニーなど、すぐにでもマネできるプロ選手たちのテクニックが満載！

サッカーテクニックまんが
ちょいテク

画：戸田邦和
監修：西部謙司
定価：1,320円（税込）
ISBN：9784862551436

■ ジュニア年代の
　テクニック上達バイブル！

超一流プレーヤーから学ぶちょっとスペシャルなワザを公開！"サッカーがうまくなる！ちょいコツ講座"も収録。

お問い合わせは　株式会社カンゼン　TEL：03-5295-7723
ホームページはこちら　https://www.kanzen.jp/

ジョアン・ミレッ 世界レベルの
GK講座

監修：ジョアン・ミレッ
著者：倉本和昌
定価：1,870 円（税込）
ISBN：9784862555335

**完璧な技術を習得すれば
スーパーセーブは不要**

数々のプロ選手を育て上げたジョアン・ミレッによる体系的にまとまったメソッドを初公開！

GKコーチ原本
"先手を取るGKマインド"の育て方

著者：澤村公康
定価：2,310 円（税込）
ISBN：9784862555892

言葉でGKをデザインする！

全カテゴリーのGKを指導してきた日本屈指のGKコーチが「装備すべき5つのマインド」を育むための方法を解説。

10代スポーツ選手のための
パーソナルフードトレーニング
最先端の栄養学に基づく新しい食事バイブル

著者：三戸真理子
定価：1,760 円（税込）
ISBN：9784862555540

**"勝つカラダ"に変える
一番の近道は「食事」**

血液タイプ、生活環境などからその子にもっとも適した栄養のとり方がわかる！

小学生・中学生のための
ジュニアサッカー食事バイブル
新装版

著者：森裕子
定価：1,760 円（税込）
ISBN：9784862553799

**がんばる子どもの成長を
『食』でサポート！**

選手たちにとって重要な「食育」の考え方とレシピを紹介。

111

[著者]	アルフレッド・ガルスティアン／チャーリー・クック
[装丁デザイン]	山内宏一郎（SAIWAI design）
[本文デザイン]	黒川篤史（CROWARTS）
[企画・編集]	株式会社レッカ社
	滝川昂　吉村洋人
[編集協力]	鈴木康浩
[写真]	松岡健三郎
[DTP オペレーション]	森脇隆（Design-office OURS）
[DVD 撮影・編集]	中丸陽一郎　武内秀文
[DVD オーサリングマネージメント]	株式会社ピコハウス

ジュニアサッカー　クーバー®・コーチング
キッズのトレーニングメニュー集
ボールマスタリー34　DVD付き

発　行　日	2011年7月6日　初版
	2022年2月17日　第13刷　発行
著　　　者	アルフレッド・ガルスティアン／チャーリー・クック
発　行　人	坪井義哉
発　行　所	株式会社カンゼン
	〒101-0021
	東京都千代田区外神田2-7-1開花ビル
	TEL03(5295)7723
	FAX03(5295)7725
	http://www.kanzen.jp/
	郵便為替00150-7-130339
印刷・製本	株式会社シナノ

万一、落丁、乱丁などが有りましたら、お取替え致します。
本書の写真、記事、データの無断転載、複写、放映は、著作権の侵害となり、
禁じております。

ISBN 978-4-86255-098-9
Printed in Japan
定価はカバーに表示してあります。

© COERVER COACHING JAPAN CO.,LTD 2011
© RECCA SHA 2011

ご意見、ご感想に関しましては、kanso@kanzen.jpまで
Eメールにてお寄せ下さい。お待ちしております。